John Strelecky
Überraschung im Café am Rande der Welt

Kochana Aniu!

Życzymy Ci samych
WSPANIAŁOŚCI

w dniu Twojego święta

Dużo : zdrowia
szczęśc
miłości
uśmie
radości serca
zadowolenia                ,
spełnienia marzeń ...

PS₁ : Dziękujemy za wszystko
To był dla nas wspaniały
czas !   ♡

PS₂ : Książki po polsku nie dotarły :/
BUZIAKI

# JOHN STRELECKY

# *Überraschung im Café am Rande der Welt*

Mit Illustrationen von
Root Leeb

Aus dem Englischen von
Bettina Lemke

**dtv**

dtv Verlagsgesellschaft mbH & Co. KG, München
© 2021 John Strelecky
Aspen Light Publishing
Titel der amerikanischen Originalausgabe:
A New Visitor to The Cafe on the Edge of the World
Deutschsprachige Ausgabe:
© 2022 dtv Verlagsgesellschaft mbH & Co. KG, München
Das Werk ist urheberrechtlich geschützt.
Sämtliche, auch auszugsweise Verwertungen bleiben vorbehalten.
Gesetzt aus der Fairfield LT Std
Layout und Satz: www.zweiband.de
Druck und Bindung: Print Consult GmbH, München
Printed in Slovakia · ISBN 978-3-423-26327-6

 **Vorwort** Manchmal, wenn wir Glück haben, kann eine Person, ein Ort oder ein Moment unserem Leben eine vollkommen neue und positive Richtung geben. Eine solche Erfahrung ist überaus tiefgreifend, so als hätten wir schon immer eine Brille benötigt, allerdings ohne uns dessen bewusst zu sein. Sobald wir zum ersten Mal eine in der richtigen Stärke aufsetzen, nehmen wir die Welt plötzlich in einer Klarheit wahr, die wir nicht für möglich gehalten hätten.

Ich weiß nicht, warum, aber in einer kalten, dunklen und stürmischen Nacht hatte ich das große Glück, auf einen solchen Ort zu stoßen, solchen Menschen zu begegnen und eine solche Erfahrung zu machen.

Noch immer versuche ich, all die Erkenntnisse, die ich gewonnen, und alles, was ich an jenem Ort erfahren habe, ganz zu verstehen. Manches davon hat mein Leben dramatisch verändert und es mir ermöglicht, Wege und Chancen zu sehen, die mir zuvor nicht bewusst gewesen waren. Über andere Aspekte versuche ich mir noch klar zu werden. Ich hatte eine ganze Menge auf einmal zu verarbeiten, und schließlich bin ich erst fünfzehn.

Ich heiße Hannah, und dies ist die Geschichte meines Besuchs im – *Café am Rande der Welt.*

 **1** Hannah stand am Fuß der Stufen, die zum Café hinaufführten. Sie warf einen Blick nach rechts. Dort verließ John mit dem Auto gerade den Parkplatz und fuhr auf die Straße. Teile des Gesprächs, das Hannah mit ihm geführt hatte, bevor er gegangen war, kamen ihr erneut in den Sinn.

*»Ich war 28, als ich das Café zum ersten Mal entdeckt habe. Ich kann dir gar nicht sagen, auf welch vielfältige Weise diese Erfahrung mein Leben verändert hat. Ich bedaure lediglich, dass ich das Café nicht früher entdeckt habe. Wenn du etwas Zeit dort drinnen verbringst, selbst wenn es nur ein paar Stunden sein sollten, wirst du in einigen Jahren bestimmt zurückblicken und erkennen, dass es eine der besten Entscheidungen deines Lebens war.«*

Hannahs Magen knurrte. Sie war sehr hungrig. Sie griff in ihre Jackentasche und zog die drei Dollar heraus, die sie dabeihatte. Damit würde sie nicht weit kommen. John hatte ihr allerdings gesagt, dass er der Bedienung 20 Dollar extra für ein Abendessen gegeben hatte. Als Dank dafür, dass Hannah ihm früher am Abend geholfen hatte, die Panne an seinem Auto zu beheben.

»Vielleicht war alles nur eine große Lüge«, dachte Hannah bei sich. Als sie an diesem Abend ins Café hineingegangen waren, hatte er etwas gesagt, das ihr unwahr vorgekommen war. Deshalb war sie hinausgerannt.

Sie blickte erneut Johns Auto hinterher. Es wurde in der Entfernung immer kleiner. Der Regen hatte aufgehört, aber die Luft war immer noch kalt, und Hannah zitterte. »Ich könnte für ein paar Minuten hineingehen, nur um mich aufzuwärmen«, überlegte sie. »Dann schnappe ich mir mein Fahrrad und schiebe es nach Hause.«

Sie stieg ein paar Stufen hinauf und zögerte erneut. Ihr Fahrrad. Der platte Reifen. Dadurch würde der Heimweg sehr lange dauern. Sie erinnerte sich an eine weitere Bemerkung von John.

*Im Café ist ein älterer Herr namens Max. Er repariert Dinge. Und er macht das sehr gut. Bestimmt kann er dein Fahrrad flottmachen, wenn du ihn lässt. Es würde ihm sicher Spaß machen.«*

Hannah bezweifelte das. Sie hatte vor langer Zeit festgestellt, dass Menschen anderen nicht einfach so halfen. So lief es nicht.

Sie stieg die letzte Stufe hinauf und warf noch einmal einen Blick auf das sich entfernende Auto von John. In ein paar Augenblicken würde es außer Sichtweite sein. John hatte ihr ein letztes Mal angeboten, sie nach Hause zu fahren. Sie hatte abgelehnt. Vielleicht war das eine schlechte Entscheidung gewesen.

Eine weitere Windböe erreichte sie. Ihr war schrecklich kalt. »Nur ein paar Minuten, um mich aufzuwärmen«, dachte sie erneut. Dann streckte sie ihre Hand nach der Cafétür aus und zog sie auf.

**2**  Die Glocken am inneren Tür-
knauf klingelten, als sie hineinging.
Die Wärme aus dem Café um-
strömte sie sofort. Es war angenehm. Ein willkommener Kontrast
zur Kälte draußen.

Sie konnte Menschen hören. »Vielleicht sind sie in
der Küche«, dachte sie. Vielleicht war dort der Mann,
der John zufolge ihr Fahrrad reparieren konnte. Oder
die Bedienung, der sie zuvor begegnet war. Die in den
Regen hinausgekommen war und angeboten hatte, ihr
zu helfen.

Einen Moment lang hatte Hannah ein schlechtes
Gewissen, wie sie zuvor mit der Bedienung umgegan-
gen war. Doch irgendetwas hatte nicht gestimmt. Die
anderen hatten gelogen, und wenn sie nicht gelogen hatten, so hatten sie ihr zumindest nicht die ganze Wahrheit
gesagt.

Bei der Erinnerung daran überlegte Hannah erneut
zu gehen. Als sie sich wieder halb zur Tür umdrehte,
knurrte ihr Magen laut.

»Du kannst dich gerne setzen, wenn du möchtest«,
sagte eine sanfte, ruhige Stimme.

Hannah wandte sich der Sprecherin zu. Es war eine
junge Frau, vielleicht vier oder fünf Jahre älter als sie

selbst. Hannah hatte sie durch das Caféfenster gesehen, als sie sich draußen versteckt hatte. Irgendetwas hatte ihr gesagt, dass sie diese junge Frau kennenlernen sollte. Aber wieso nur?

Die junge Frau lächelte sie an. »Du hast freie Sitzplatzwahl. Nimm gerne Platz, wo immer du möchtest.«

Ihre Worte klangen sehr freundlich. »Aber sie spricht ziemlich leise«, dachte Hannah. »So, als hätte die junge Frau das noch nicht häufig gesagt.«

Hannah zögerte, da sie sich etwas darüber wunderte, warum sie die junge Frau nicht kommen gehört hatte. Dann wurde sie durch ein plötzliches Geräusch abgelenkt, ein Brutzeln. Irgendetwas wurde auf einem heißen Grill gebraten. Kurz darauf erfüllte ein leckerer Essensduft das Café. Hannahs Magen knurrte erneut.

»Deine Mahlzeit ist bezahlt, wenn du gerne etwas essen möchtest«, sagte die junge Frau. »John hat etwas Geld dagelassen. Er meinte, er habe es dir versprochen, als Dank dafür, dass du ihm bei seinem platten Reifen geholfen hast.« Die junge Frau schmunzelte. »Es hatte wohl irgendwas damit zu tun, dass du ihm gesagt hast, wo die Radmuttern waren?«

Hannah nickte zögerlich. »Er hat seinen Reifen unter einer Brücke repariert, und es war dunkel. Ich habe ihm lediglich gesagt, wo er die Radmuttern hingelegt hatte.«

»Jedenfalls«, fuhr die junge Frau fort, »geht das Abendessen auf ihn, wenn du etwas möchtest.«

Ihr Verhalten war in keiner Weise aufdringlich. Sogar ganz im Gegenteil. Es verunsicherte Hannah irgendwie.

Die junge Frau stand im Gang in der Mitte des Cafés. Früher an diesem Abend hatte Hannah in einer der

Sitznischen unmittelbar rechts von ihr gesessen. Bevor die Dinge seltsam geworden waren und sie hinausgelaufen war. Hannah machte ein paar Schritte auf die junge Frau zu und entschied sich für eine andere Sitznische.

»Okay«, sagte sie und ließ sich auf eine Sitzbank sinken.

Den Sitznischen gegenüber befand sich eine lange, schmale weiße Theke. Die junge Frau nahm dort eine Speisekarte aus einem Ständer und legte sie auf Hannahs Tisch.

»Wie wär's, wenn du dir ein paar Minuten Zeit nimmst, um dir die Karte anzusehen? Kann ich dir etwas zu trinken bringen?«

»Gibt es Eistee?«, fragte Hannah.

»Ist es das, was du willst?«, antwortete die junge Frau.

Es wirkte wie ein seltsames Déjà-vu. Die gleiche Frage hatte die Bedienung früher an diesem Abend an Hannah gerichtet.

»Ja«, erwiderte diese zögernd.

»In Ordnung«, sagte die junge Frau lächelnd. »Dann haben wir das bestimmt.«

Schon als Hannah diese Antwort zum ersten Mal gehört hatte, war sie ihr seltsam vorgekommen. Und nun fand sie sie genauso merkwürdig.

Die junge Frau wandte sich ab und entfernte sich. Doch plötzlich schien sie sich an etwas zu erinnern und kam wieder zum Tisch zurück.

»Ich heiße Emma«, sagte sie und lächelte erneut. »Ich freue mich, dass du beschlossen hast, zurückzukommen.«

Hannah antwortete mit einem Nicken, unsicher, was sie auf diese Bemerkung erwidern sollte. »Ich heiße Hannah«, antwortete sie schließlich.

Emma lächelte abermals und nickte. Dann drehte sie sich um und ging zur Küche.

 **3** Hannah nahm die Speisekarte zur Hand, die Emma auf den Tisch gelegt hatte. Es kam ihr sehr seltsam vor, ganz alleine in einem leeren Café zu sitzen. Sie hatte schon in verschiedenen Fast-Food-Restaurants und kleineren Gaststätten gegessen. Aber nie alleine, und nie war das Lokal so leer gewesen.

Sie schlug die Speisekarte auf und begann sich die verschiedenen Gerichte durchzulesen. Das Essen war nicht teuer. Sie konnte viel für die 20 Dollar bestellen. Vielleicht konnte sie sogar noch etwas mit nach Hause nehmen. Sie dachte an den ständig leeren Kühlschrank in dem kleinen Haus, in dem sie wohnte, und schüttelte leicht den Kopf. Warum hatte sie es so eilig, dorthin zurückzukehren?

Ihr Blick wurde von einem Eintrag auf der Speisekarte angezogen. »Großes Frühstück«, hieß es dort. Offenbar bekam man bei diesem Angebot ziemlich viel für sein Geld. Außerdem glaubte Hannah, den Duft von gebratenem Speck wahrzunehmen. Es roch herrlich.

Sie klappte die Speisekarte zu, sodass die Rückseite nach oben zeigte. Dort stand geschrieben: »Fragen, über die Sie nachdenken können, während Sie warten.«

»Stimmt«, dachte sie und erinnerte sich. Als sie zuvor

kurz im Café gewesen war, hatte sie die Fragen ebenfalls bemerkt. Irgendetwas an ihnen war jedoch seltsam gewesen. Was war es nur? Hatten etwa unterschiedliche Fragen auf den verschiedenen Speisekarten gestanden?

Sie blickte nach unten zu den Fragen auf der Speisekarte und las sie langsam.

*Wer bist du?*
*Was wird dich ausmachen?*
*Warum bist du hier?*

Als sie die letzte Frage gelesen hatte, lief ihr ein Schauer an den Armen entlang. Instinktiv sah sie rasch auf und blickte sich im Café um. Aber es war niemand da.

Sie betrachtete die Fragen erneut.

*Wer bist du?*

»Eistee?«, fragte eine Stimme.

Hannah hob den Blick in der Erwartung, dass sie zu Emma gehörte. Doch es war die Bedienung, die zuvor versucht hatte, ihr zu helfen.

»Emma ist gleich wieder da«, sagte die Frau. »Ich habe ihr gesagt, dass ich ihr helfe, deine Bestellung aufzunehmen.«

Hannah nickte. Es war ihr immer noch unangenehm, dass sie vorher etwas schroff zu ihr gewesen war.

»Sie heißen Casey, stimmts?«, fragte Hannah etwas zögernd. Sie war sich ziemlich sicher, dass die Frau das gesagt hatte, als sie sich früher an diesem Abend vorgestellt hatte.

Casey nickte. »Du hast ein gutes Gedächtnis.«

»Ich, äh, es tut mir leid, dass ich vorhin so unfreundlich zu Ihnen war«, stieß Hannah hervor. »Danke, dass Sie mir geholfen haben, mein Fahrrad aus dem Auto herauszuheben.«

Casey nickte erneut. »Gern geschehen. Ist es immer noch an die Seitenwand des Cafés angelehnt?«

Hannah sah sie verblüfft an. »Woher weiß sie das?«, rätselte sie. Hannah hatte Casey im Regen stehen lassen und war ein Stück auf der Straße entlanggelaufen. Erst als Casey wieder hineingegangen war, war Hannah zurückgekommen und hatte das Fahrrad draußen gegen die Wand des Cafés gelehnt.

»Also Emma«, fuhr Casey fort, »sieht jedenfalls gerade nach, ob sie einen Ersatzschlauch für das Fahrrad hat.«

»Hier?«, fragte Hannah und sah sich suchend um.

»Jep«, antwortete Casey, als wäre es völlig selbstverständlich, dass Ersatzschläuche in einem Café herumlagen.

»Aber damit können wir uns später befassen«, fügte Casey hinzu und deutete auf die Speisekarte. »Bist du bereit, etwas zu bestellen?«

Hannah nickte und schlug die Speisekarte auf. Sie deutete auf das große Frühstück. »Ist es möglich, das zu bekommen? Ich weiß, dass die Frühstückszeit vorbei ist.«

Casey lächelte. »Aber sicher.«

 **4**  Hannah saß still da, nachdem Casey sich entfernt hatte, um die Bestellung in der Küche aufzugeben. »Dies ist definitiv ein seltsamer Ort«, dachte sie bei sich.

Da sie nichts zu tun hatte, zog sie ihr Handy aus ihrer Hosentasche und schaute darauf. Kein Empfang. Sie prüfte, ob es eine WLAN-Verbindung gab, aber auch so etwas war nicht vorhanden.

Die Speisekarte lag immer noch vor ihr auf dem Tisch. Nachdem sie Casey mitgeteilt hatte, was sie haben wollte, hatte Hannah die Karte zugeschlagen, sodass die Rückseite wieder nach oben zeigte.

*Wer bist du?*
*Was wird dich ausmachen?*
*Warum bist du hier?*

»Warum, um alles in der Welt, schreiben sie solche Fragen auf ihre Speisekarte?«, überlegte Hannah. Dann erinnerte sie sich wieder an etwas, das John über die Fragen gesagt hatte – dass sie bei jeder Person anders wären.

Sie erhob sich halb, beugte sich nach vorne und sah zu dem Tisch hinüber, an dem sie früher an diesem Abend kurz mit John gesessen hatte. An der linken

Tischkante lagen zwei Speisekarten. Sie schlüpfte aus ihrer Sitznische hinaus, ging zum anderen Tisch und nahm die Speisekarten zur Hand. Auf der Rückseite der ersten standen dieselben drei Fragen wie auf der Speisekarte auf ihrem Tisch.

»Vielleicht war das meine Karte von vorhin«, dachte Hannah bei sich.

Als sie gerade die andere Speisekarte betrachten wollte, kam Casey aus der Küche heraus und näherte sich ihr mit einem großen Tablett. Hannah ging mit den Speisekarten zu ihrer Sitznische zurück, setzte sich und legte sie neben sich auf den Tisch. Im nächsten Moment war Casey mit dem Essen bei ihr.

»Ich hoffe, du hast Hunger«, sagte sie und begann, einige Teller auf dem Tisch abzustellen.

»Ich bin am Verhungern«, antwortete Hannah mit verlegener Miene. »Ich habe nichts mehr gegessen, seit …«. Sie hielt inne und blickte etwas beschämt zu Boden.

Casey tat so, als würde sie es nicht bemerken, und platzierte weitere Teller auf dem Tisch. »Nun, es freut mich, das zu hören, denn hier ist dein Käse-Tomaten-Omelett mit gerösteten Zwiebeln sowie Toast, Schinken, Speck, frisches Obst, Bratkartoffeln, Kekse und eine Portion Pfannkuchen.«

Hannah starrte all das Essen überrascht an. »Aber ich habe doch gerade erst bestellt!«, rief sie aus. »Wie ist …?«

»Das musst du den Kerl dort drüben fragen«, unterbrach Casey sie schmunzelnd und deutete mit einem Nicken in Richtung Küche.

Als Hannah dorthin sah, schaute ein Mann aus der Küche heraus und winkte ihr strahlend zu.

»Das ist Mike«, erklärte Casey. »Ihm gehört dieses Café, und er bereitet alle Speisen zu. Sobald du hereingekommen warst, hat er damit begonnen, deine Bestellung in Angriff zu nehmen. Er meinte, er hätte so eine Ahnung gehabt, dass du das große Frühstück bestellen würdest.«

Hannah wusste nicht, was sie darauf antworten sollte.

»Jedenfalls«, fuhr Casey fort, »ist hier etwas Gelee für den Toast, Honig für die Kekse, Sirup für die Pfannkuchen und unsere besondere Tomatensauce für das Omelett.«

Nachdem sie den letzten Teller abgestellt hatte, reichte Casey Hannah eine Serviette und Besteck. »Gut, dass du hungrig bist.«

Hannah betrachtete all das Essen vor sich und ließ den Blick dann durch das leere Café schweifen.

»Ist alles in Ordnung bei dir?«, erkundigte sich Casey.

Hannah zögerte. »Ich habe noch nie alleine in einem Restaurant gegessen«, sagte sie nach einer Weile. »Es fühlt sich etwas seltsam an.«

Casey nickte. »Emma wird sicher bald wieder da sein. Bestimmt setzt sie sich gerne zu dir, wenn du das möchtest.«

Hannah antwortete nicht. Einerseits wünschte sie sich, dass Casey ihr etwas Gesellschaft leistete. Aber es war ihr zu peinlich, sie darum zu bitten.

»Weißt du was? Es ist für mich ohnehin an der Zeit, eine kleine Pause zu machen«, überlegte Casey. Sie sah sich kurz im Café um. »Und da du im Moment unser einziger Gast bist, setze ich mich gerne zu dir, bis Emma zurück ist, wenn das für dich in Ordnung ist.«

Hannah nickte, daher rutschte Casey ihr gegenüber in die Sitznische. »Nur zu, fang ruhig an«, sagte sie kurz darauf und deutete auf das Essen. »Es schmeckt besser, wenn es warm ist.«

Hannah nahm ein paar Bissen von dem Omelett.

»Na, wie schmeckt es?«, fragte Casey.

»Gut«, antwortete Hannah. »Es ist wirklich lecker.«

Casey betrachtete die Sammlung von Speisekarten, die Hannah von dem anderen Tisch mitgenommen hatte. »Konntest du nicht finden, wonach du gesucht hast?«, fragte sie schmunzelnd.

Hannah warf einen Blick auf die Speisekarten und schüttelte den Kopf. »Ich wollte nachsehen, welche Fragen draufstehen. Als ich früher am Abend hier war, hat John mir gesagt, dass die Fragen auf der Rückseite bei jeder Person anders lauten.« Sie machte eine Pause. »Ich wollte lediglich herausfinden, ob das stimmt.«

Casey nickte, antwortete aber nicht.

»Er hat auch gesagt, dass er ungefähr vor zehn Jahren zum letzten Mal hier im Café war, aber dass es sich damals auf Hawaii befand«, fügte Hannah hinzu. »Und dass er nicht gelogen hätte, als wir heute mit dem Auto unterwegs waren und er behauptete, er wüsste nicht, wo er sei.«

Casey nickte erneut. »Das stimmt. Er hat nicht gelogen.«

»Aber wie ist das möglich?«, rief Hannah aus. »Das ergibt doch keinen Sinn.«

Casey sah sie achselzuckend an. »Das Café befand

sich bei seinem letzten Besuch an einem anderen Ort. Er hatte keine Ahnung, dass er uns heute Abend hier finden würde.« Dabei beließ sie es.

»Oh«, antwortete Hannah verdutzt. Sie hatte ein schlechtes Gewissen, weil sie John zuvor angefahren hatte.

»Das geht für ihn schon klar«, meinte Casey, als könne sie Hannahs Gedanken erahnen. »Es gab einen Grund, warum er das Café heute Abend finden sollte. Eure beiden Pfade waren lediglich für eine kleine Weile miteinander verflochten. So ist es manchmal im Leben.«

Hannah nickte, ohne wirklich zu verstehen, was das bedeutete. Aber sie war nicht selbstbewusst genug, um nachzufragen. Sie nahm einen weiteren Bissen von dem Omelett und kaute schweigend.

Als sie nach dem Eistee griff, um den Bissen hinunterzuspülen, wurde ihr Blick von den Fragen auf ihrer Speisekarte angezogen.

Sie deutete darauf. »So etwas habe ich noch nie auf einer Speisekarte gesehen. Stehen wirklich unterschiedliche Fragen auf den verschiedenen Karten?«

»Alle möglichen Fragen«, bestätigte Casey. »Außerdem verändern sie sich stark.«

Hannah las die drei Fragen auf ihrer Karte. Zu ihrer Überraschung verschwand die erste allmählich. Dann tauchte ein neuer Text auf. Die Frage »Wer bist du?« veränderte sich, und daraus wurde: »Wer bin ich?«

»Das ist verblüffend«, murmelte Hannah. Sie fuhr mit dem Finger über die Speisekarte, als handele es sich um eine Art Touchscreen. »Wie macht man das?«

Sie vermutete, dass sie den Text verändern könnte,

indem sie mit dem Finger über die Karte wischte. Aber nichts passierte. Es war kein Touchscreen, sondern lediglich eine Speisekarte.

Sie griff nach einer anderen Karte aus dem Stapel. Darauf standen dieselben drei Fragen, und sobald sie die erste »Wer bist du?« gelesen hatte, veränderte sich diese ebenfalls und lautete dann: »Wer bin ich?«

Hannah bekam eine Gänsehaut auf ihren Armen. Irgendetwas war äußerst seltsam an diesem Ort. Ihr Herz begann schneller zu schlagen. Sie spürte, dass ihre Atmung etwas flacher wurde, und hatte plötzlich das dringende Bedürfnis, aufzustehen und zu gehen.

**5** »Gespannte Erwartung und Angst rufen häufig dieselben Empfindungen hervor«, bemerkte Casey leise. »Wenn jemand nicht viele Dinge hat, für die er sich begeistert, kann er die beiden Sachen leicht verwechseln.«

Hannah sah sie ausdruckslos an.

»Wer bist du?«, fragte Casey lächelnd.

Hannah überlegte. »Ich bin Hannah. Das habe ich Ihnen bereits gesagt.«

Casey erwiderte nichts darauf.

»Ich bin fünfzehn. Ich lebe in einem kleinen Ort nicht weit von hier. Zumindest glaube ich, dass er nicht weit entfernt ist.«

»Und?«, hakte Casey nach.

»Was, und?«

Casey schmunzelte. »Und weiter?«

Hannah zuckte mit den Achseln. »Und ich habe braune Haare und braune Augen.« Sie betrachtete den Teller, der vor ihr stand. »Und ich esse Pfannkuchen und ein Omelett zum Abendessen.«

»Zum Teil, weil du weder ein Frühstück noch ein Mittagessen hattest«, dachte Casey bei sich.

»Was noch?«, bohrte Casey weiter.

Hannah dachte einen Moment lang nach. »Ich befinde mich in einem Restaurant. In einem ziemlich seltsamen Restaurant. Ich habe ein Fahrrad mit einem Platten und ein Handy, das nicht funktioniert.«

»Prima«, schaltete Casey sich wieder ein. Nach einer kurzen Pause fügte sie hinzu: »Und wer bist du nun?«

Hannah sah sie fragend an. »Das habe ich Ihnen gerade gesagt.«

»Ja, das hast du. Gehe nun eine Schicht tiefer. Was liegt unter all dem, was du gerade beschrieben hast?«

Hannah dachte erneut nach. »Ich gehe zur Schule, aber ich weiß nicht, was das bringen soll. Ich verbringe viel Zeit alleine, weil meine Eltern nicht oft zu Hause sind, und wenn sie da sind, streiten sie sich häufig. Ich bin schlau. Ich bemerke Dinge, die die meisten Menschen nicht wahrnehmen. Kleine Dinge – etwa, auf welche Weise Eltern mit ihrem Kind umgehen oder wie der Wind die Bäume auf eine bestimmte Weise hin- und herwiegt.

Es macht mir Spaß, mit meinem Fahrrad zu fahren, weil es mir das Gefühl verleiht, frei zu sein. Und es gibt mir Zeit zum Denken. Es gefällt mir, nachzudenken und Dinge zu ergründen.«

Casey sah sie an, ohne etwas zu sagen. Hannah betrachtete erneut die Speisekarte. Dabei veränderte die erste Frage sich erneut.

*Wer bin ich?*

»Wer bin ich?«, fragte sie zum ersten Mal laut. Sobald ihr die Worte über die Lippen gegangen waren, spürte

sie, wie eine starke Energiewelle durch sie hindurchjag-
te. Sie lief geradewegs ihre Wirbelsäule hinauf, strömte
durch ihre Arme bis vor zu ihren Fingerspitzen und von
dort aus ihrem Körper hinaus. Eine weitere Energieex-
plosion schoss ihre Wirbelsäule hinauf und schien oben
aus ihrem Kopf hinauszuströmen. Überrascht setzte
Hannah sich aufrecht hin.

»Angst oder gespannte Erwartung?«, fragte Casey
ruhig.

Hannah schüttelte leicht den Kopf. »Keine Angst«,
antwortete sie unsicher und schüttelte ihre Arme aus.
Sie blickte zu Casey. »Was war das denn?«

»Der Beginn der Wahrheit«, antwortete Casey lächelnd.

 **6**  Hannah schüttelte erneut die Arme aus und ließ die Energie von sich fortströmen. »Was meinen Sie mit ›der Beginn der Wahrheit‹?«

»Du hast gesagt, dass du gerne Dinge beobachtest. Was gehört zum Beispiel zu den Dingen, die dir bei den Menschen in deinem Alter aufgefallen sind?«

»Ich weiß es nicht.«

»Was, wenn du es doch wüsstest?«

Hannah sah Casey verwirrt an. »Wie bitte?«

»Was, wenn du es doch wüsstest?«, wiederholte Casey ihre Frage.

Ohne zu zögern, erwiderte Hannah: »Sie stehen unter einem großen Druck.«

Sie hielt inne. »Das ist sehr eigenartig.«

»Was denn?«

»Als Sie mich gefragt haben: ›Was, wenn du es doch wüsstest?‹, war es so, als würde sich mein Geist irgendwie öffnen. Ich wusste wirklich keine Antwort, als Sie mich zum ersten Mal gefragt haben. Aber als Sie die Frage andersherum gestellt haben, fiel mir eine ein.«

»Wir bekommen andere Antworten, wenn wir andere Fragen stellen«, bemerkte Casey lächelnd. »Was meinst du mit ›Druck‹?«

»Wenn man ein Kind ist, erwartet niemand, dass man alles versteht. Aber wenn man dann so alt ist wie ich, soll man sich plötzlich über alles im Klaren sein. Man soll wissen, wie man einen Job bekommt, ob man studieren will, wie man seinen Lebensunterhalt verdienen möchte.« Sie zögerte einen Moment lang. »Warum Jungs sich so verhalten, wie sie es eben tun.«

Casey nickte.

»Und alle erwarten, dass man die ganze Zeit glücklich ist«, fügte Hannah hinzu. »Sie sagen einem, wie schön man es hat. ›Du hast keine Verpflichtungen. Warte nur, bis du älter bist. Du hast es so gut.‹«

Hannah schüttelte den Kopf. »Es nervt so dermaßen. Woher soll ich denn wissen, was ich für den Rest meines Lebens tun möchte? Soweit ich es beurteilen kann, gefällt den meisten Erwachsenen nicht einmal, womit sie ihren Lebensunterhalt verdienen. Wenn es also darauf hinausläuft, ist es doch egal. Dann spielt es ohnehin keine Rolle.«

»Zum Teil hast du recht«, antwortete Casey. »Aber so muss es nicht sein, wenn du das nicht möchtest.«

»Und womit habe ich recht?«

»Dass es den meisten Menschen nicht gefällt, womit sie ihren Lebensunterhalt verdienen. Aber das ist *ihre* Wahl. Es muss nicht deine sein.«

Hannah blickte skeptisch drein.

»Welche Farbe hat dein Fahrrad?«, fragte Casey unvermittelt.

Hannah war angesichts des plötzlichen Themawechsels etwas perplex. »Mein Fahrrad?«

Casey nickte.

27

»Hellblau. Na und?«

»Warum hat dein Fahrrad diese Farbe?«

»Keine Ahnung. Weil jemand es so lackiert hat, nehme ich an.«

Casey schmunzelte. »Deshalb ist das Fahrrad hellblau. Aber warum hat *dein* Fahrrad diese Farbe?«

Hannah sah sie verwirrt an. »Was meinen Sie damit? Es ist die Farbe, mit der sie es in der Fabrik lackiert haben. Es war so, als ich es bekommen habe.«

»Wo hast du es gekauft?«

Hannah zögerte etwas verlegen. »In einem Secondhandladen.«

»Gab es dort noch andere Fahrräder außer deinem?«

Hannah nickte.

»In anderen Farben als Hellblau?«

Hannah nickte erneut.

»Aber für die hast du dich nicht entschieden.«

»Es gab nur zwei Damenfahrräder in der Größe, die ich brauche. Meins und ein grünes. Und das grüne war ziemlich ramponiert.«

»Warum ist dein Fahrrad also hellblau?«

»Weil das eine so ramponiert war und ich deshalb das andere genommen habe, und nun ist meins eben hellblau«, entgegnete Hannah frustriert. »Was spielt es denn für eine Rolle? Es ist lediglich die Farbe meines Fahrrads.« Sie merkte, dass sie wütend wurde, auch wenn sie nicht recht wusste, warum.

»Und wenn ich dir sagen würde, dass es in jeder Hinsicht eine Rolle spielt?«, erwiderte Casey leise. »Dass jene Erwachsenen genau deshalb dort arbeiten, wo sie eben arbeiten, und dass jeder von uns sich deshalb für seinen beruflichen Weg entscheidet und dass es eben genau daran liegt, ob wir studieren oder nicht …« Casey schmunzelte schelmisch. »Und es ist auch der Grund, warum die Jungs sich so verhalten, wie sie es nun mal tun.«

Sie schob die Speisekarte mit ausgestrecktem Arm zu Hannah hinüber. »Außerdem ist es der Schlüssel zu der ersten Frage.«

 **7**  Hannah hörte, dass sich irgendwo im Café eine Tür schloss, und einen Moment später kam Emma auf sie und Casey zu. Hannah musterte sie nun genauer als zuvor. Emma trug blaue Jeans und ein T-Shirt. Ihre Haare waren in einem Pferdeschwanz zusammengebunden. Sie war hübsch. Keine gestylte Make-up-Schönheit, sondern natürlich schön. Ihre Haut war gebräunt und ließ ihre Augen intensiv blau leuchten.

Hannah fühlte sich etwas gehemmt. Emma war nicht nur hübsch, sie wirkte auch selbstsicher und locker. Das verunsicherte Hannah in gewisser Weise.

»Wie schmeckt dein Essen?«, fragte Emma freundlich, als sie beim Tisch angekommen war.

Hannah nickte. »Es ist lecker.«

»Wir haben uns gerade über Hannahs Fahrrad unterhalten«, meinte Casey.

»Ach ja? Ich habe Max eben gefragt, ob er helfen könnte, es zu reparieren.«

»Und?«

»Er wollte hinausgehen und es sich einmal ansehen.«

Hannah behagte das nicht. Sie kannte Max nicht und mochte es nicht, wenn jemand an ihren Dingen herumfuhrwerkte.

»Fährst du viel mit dem Fahrrad?«, erkundigte sich Emma. Ihre Stimme klang ehrlich interessiert.

Hannah nickte zögernd. »Jeden Tag. Ich bin erst fünfzehn, deshalb darf ich noch nicht Auto fahren.«

»Dies scheint eine tolle Gegend zum Fahrradfahren zu sein«, antwortete Emma. »Ich war noch nie hier, aber offenbar gibt es einige schöne kleine Waldpfade.«

Hannah nickte langsam. Wenn Emma im Café arbeitete, wie konnte es dann sein, dass sie zuvor noch nie in der Umgebung gewesen war?

»Emma hat sich weitergebildet«, fügte Casey hinzu, als hätte sie Hannahs Gedanken gelesen. »Das war an einem anderen Ort.«

Hannah nickte erneut und versuchte sich einen Reim darauf zu machen. Vielleicht studierte Emma an einer Universität.

»Wenn du Zeit hast, könnten wir vielleicht gemeinsam einen Fahrradausflug machen«, schlug Emma vor.

Hannah zögerte. Sie kannte diese Leute nicht. Sie schienen zwar in Ordnung zu sein, aber man wusste ja nie. Außerdem dachte sie an ihr Fahrrad. Nichts, worauf man stolz sein konnte.

Emma warf Casey einen kurzen Blick zu und fuhr dann an Hannah gewandt fort: »Mein Fahrrad ist allerdings ziemlich alt und klapprig. Wir müssten deshalb vielleicht etwas langsamer fahren, als du es normalerweise tust. Aber wenn es dir nichts ausmacht, könnten wir es versuchen.«

»Vielleicht. Wenn wir die Gelegenheit dazu haben«, antwortete Hannah.

»Nun, ich wollte euch nicht unterbrechen«, sagte

Emma. »Ich kann euch beide gerne wieder alleine lassen, damit ihr euer Gespräch fortsetzen könnt.«

»Vielleicht hättest du ja Lust dazubleiben«, meinte Casey.

Hannah sah zu Casey hinüber, die ihren Blick erwiderte. Einerseits hätte Hannah sich gerne mit Casey alleine unterhalten. Andererseits hatte Emma irgendetwas an sich. Hannah spürte eine gewisse Verbindung zu ihr. Eine Ähnlichkeit.

»Wenn du kannst«, sagte Hannah schließlich und blickte zu Emma auf. »Und wenn du magst«, fügte sie zögernd hinzu.

»Okay«, antwortete Emma lächelnd. Casey rutschte in der Sitznische ein Stückchen, sodass Emma sich neben sie setzen konnte. »Worum ging es denn bei eurem Fahrradgespräch?«

»Hannah hat mir erklärt, warum ihr Fahrrad hellblau ist«, berichtete Casey.

»Und?«, fragte Emma an Hannah gewandt.

»Und Casey wollte mir gerade erklären, warum meine Antwort den Schlüssel für diese erste Frage enthält«, erwiderte Hannah und zeigte auf ihre Speisekarte.

Emma sah dorthin. Als sie die erste Frage las, schüttelte sie etwas überrascht den Kopf und schmunzelte.

Hannah beobachtete sie. »Was ist?«

Emma warf Casey einen vielsagenden Blick zu. »Es ist einfach eine schöne Erinnerung.«

Hannah sah sie rätselnd an.

»Ich hatte dieselbe erste Frage«, erklärte Emma. »Und dann habe ich mich lange mit Casey darüber unterhalten, was sie bedeutete.«

»Wirklich?«, fragte Hannah überrascht.

»Ja, tatsächlich«, bestätigte Emma. »Das war meine erste Erfahrung mit einer ›Kurzgeschichte in zwei Akten‹.« Emma betonte diese Worte so, als hätte sie sie bereits viele Male zuvor ausgesprochen.

Hannah ließ ihren Blick von Emma zu Casey und wieder zurück wandern. »Ich weiß nicht, was das bedeutet.«

Casey bemerkte, dass Emma sie ansah, und nickte ihr aufmunternd zu. »Erzähle ruhig weiter.«

»Ich war damals etwa vierzehn und hatte mit ein paar Dingen zu kämpfen«, begann Emma. »Ich liebte es zu surfen und hasste die Schule. Es leuchtete mir überhaupt nicht ein, warum ich zur Schule gehen musste, obwohl es mir keinen Spaß machte und ich nicht wusste, was das bringen sollte. Und wenn ich nicht beim Surfen war, verbrachte ich viel Zeit damit, mit meinem Handy herumzuspielen. Aus keinem bestimmten Grund, sondern nur, weil es da war.«

Hannah schielte zu ihrem Handy, das auf dem Tisch lag. Sie wusste, wie sich das anfühlte.

»Eines Tages betrachtete ich dann die Speisekarte des Cafés. Die ich schon unzählige Male als kleines Kind angeschaut hatte. Und als ich die Rückseite nach oben drehte, veränderten sich die Fragen plötzlich in andere Fragen. Die erste davon lautete: ›Wer bist du?‹«

Emma sah Hannah geradewegs in die Augen. »Darauf hatte ich keine gute Antwort. Als Kind war ich immer ziemlich glücklich gewesen. Aber wie gesagt, im Alter von vierzehn hatte ich ziemlich zu kämpfen. Und dann tauchte diese neue Frage auf meiner Speisekarte auf.«

»Und dann hast du dich mit Casey unterhalten?«, hakte Hannah nach.

»Genau. Und an dieser Stelle kommt ›Eine Kurzgeschichte in zwei Akten‹ ins Spiel.«

 **8** »Worum geht es in der Kurzgeschichte in zwei Akten?«, fragte Hannah.

»Mit jeder Entscheidung, die wir treffen, beginnt eine Kurzgeschichte«, erklärte Emma. »Und insgesamt summieren sich diese Kurzgeschichten zu dem, wer wir sind.«

Hannah betrachtete erneut ihre Speisekarte und beobachtete, wie der Text sich veränderte.

*Wer bin ich?*

»Du hast dich für das hellblaue Fahrrad entschieden«, sagte Casey. »Und in diesem Moment bist du jemand geworden, der mit einem hellblauen Fahrrad fährt.«

»Das ist ziemlich offensichtlich«, gab Hannah zurück.

»Ich weiß. Aber es hat eine große Bedeutung, wenn man die Idee weiterführt«, fügte Emma hinzu.

Hannah sah sie fragend an.

»Du hast heute ein graues Sweatshirt an«, fuhr Emma fort. »Also bist du eine Person, die graue Sweatshirts trägt. Wenn du keine grauen Sweatshirts mehr anziehst und stattdessen einen blauen Pullover trägst, bist

35

du nicht länger jemand, der graue Sweatshirts trägt. Nie mehr. Es sei denn, du entscheidest dich dafür, es wieder zu sein.«

»Sorry, was hat das mit einer Kurzgeschichte in zwei Akten zu tun?«, fragte Hannah verwirrt.

Emma wollte es ihr gerade erklären, blickte dann aber kurz zu Casey, die kaum merklich den Kopf schüttelte.

Hannah sah die beiden an, während sie auf eine Antwort wartete. Doch die kam nicht.

»Weil ich eine Wahl getroffen habe, ist das meine Realität?«, folgerte sie schließlich zögernd.

Emma nickte strahlend. »Genau. Eine Kurzgeschichte in zwei Akten. Erster Akt: Triff eine Entscheidung. Zweiter Akt: Erlebe die Realität, die mit dieser Entscheidung einhergeht.«

»Und die Gesamtheit all dieser kleinen Kurzgeschichten in zwei Akten bestimmt, wer ich bin?«, fragte Hannah immer noch verwirrt.

»Genauso ist es«, antwortete Casey leise.

Die drei saßen eine Weile schweigend da. Hannah versuchte zu verarbeiten, was sie gerade gehört hatte. Sie dachte an ihr heruntergekommenes Zuhause. Die leeren Regale, die Secondhandkleidung in ihrem Schrank, die Matratze auf dem Fußboden. Sie hatte sich all das nicht ausgesucht.

»Möglicherweise gibt es Bereiche in deinem Leben, über die du im Moment nicht die volle Kontrolle hast«, ergriff Casey erneut das Wort. »Aber du bist an einem Punkt, an dem eine Kurzgeschichte in zwei Akten immer mehr von dir selbst definiert wird.«

»So einfach ist das nicht«, protestierte Hannah. »Man trifft nicht einfach eine Entscheidung, und zack – plötzlich ist auf einen Schlag eine völlig neue Realität vorhanden.«

»Bei der Farbe deines Fahrrads war es so«, widersprach Casey.

»Na super. Ich habe ein hellblaues Fahrrad anstatt eines grünen«, erwiderte Hannah sarkastisch. »Das waren die beiden Optionen in einem kleinen popeligen Secondhandladen, denn es war das einzige Geschäft, in dem ich mir einen Kauf überhaupt leisten konnte. Wirklich eine tolle Geschichte!«, fügte sie aufgebracht hinzu.

Etwas an der Unterhaltung behagte ihr ganz und gar nicht und machte sie wütend.

Casey ließ sie eine Weile vor sich hin brüten, dann nickte sie Emma leicht zu.

»Könntest du mich bitte hinauslassen, Emma? Mir ist gerade aufgefallen, dass ich die Butter anstatt der Honigbutter für Hannahs Kekse gebracht habe. Dabei schmecken sie so köstlich mit der.«

Emma rutschte aus der Sitznische hinaus und stellte sich seitlich davon hin, während Casey sich erhob.

»Ich bin gleich wieder da«, sagte Casey an Hannah gewandt.

Damit entfernte sie sich in Richtung Küche, und Emma nahm wieder Platz. Die beiden jungen Frauen schwiegen eine Weile.

»Es tut mir leid«, begann Hannah schließlich. »Ich weiß nicht, warum die Unterhaltung mich so aufgebracht hat.«

»Ist schon in Ordnung«, antwortete Emma. »Du

hättest mal sehen sollen, wie heftig ich reagiert habe, als Casey mir dieses Prinzip zum ersten Mal erläutert hat.«

»Wirklich?«

Emma nickte. »Es ist beeindruckend. Aber auch beängstigend.« Emma ließ ihre Stimme sehr dramatisch klingen: »Ich bin, wer immer ich zu sein entscheide.«

Sie schmunzelte und nahm wieder ihre normale Stimme an. »Das ist fantastisch. Es verleiht uns eine enorme Macht. Bis wir uns eines Tages im Spiegel betrachten und feststellen, dass uns nicht gefällt, was wir dort sehen. Denn wenn wir der Mensch sind, für den wir uns entschieden haben, und uns nicht gefällt, wer wir sind, dann …«

»Dann können wir niemanden dafür verantwortlich machen außer uns selbst«, vollendete Hannah den Satz.

Emma nickte zustimmend.

Abermals saßen sie schweigend da.

»Warum hast du so heftig reagiert, als Casey dir das Prinzip erklärt hat?«, fragte Hannah nach einer Weile.

»Ich war wütend.«

»Warum?«

Emma zuckte mit den Achseln. »Soweit ich mich zurückerinnern kann, hatten mein Vater und ich schon immer ein großartiges Verhältnis. Er war stets für mich da und hat mich positiv bestärkt. Als ich dann ungefähr vierzehn war, begann ich, viel Zeit damit zu verbringen, nichts zu tun. Ich daddelte auf meinem Handy herum, hing einfach ab und verbrachte noch mehr Zeit mit Nichtstun. Ich schlug die Stunden einfach tot.

Also bat er mich eines Tages, dass wir uns zusammensetzen, und sprach mich darauf an.«

»Und dann bist du wütend geworden?«

»Sehr wütend. Es war tatsächlich das erste Mal, dass ich mich meinem Vater gegenüber so verhalten habe. Danach ging ich zu Casey, um Dampf abzulassen. Und nachdem sie mir zugehört hatte, sprachen wir über zwei Dinge. Erstens darüber, dass Wut eine Manifestation von Angst ist. Und zweitens über das Prinzip der Kurzgeschichte in zwei Akten.«

Als Emma sagte, Wut sei eine Manifestation von Angst, spürte Hannah, dass eine Energiewelle an ihren Armen entlanglief.

»Moment«, hakte sie ein. »Wiederhole den ersten Teil bitte noch einmal.«

Emma nickte. »Wut ist eine Manifestation von Angst. Wenn wir wütend sind und uns fragen, wovor wir eigentlich Angst haben, kommen wir zu erstaunlichen Erkenntnissen.«

Hannah schüttelte den Kopf. »Das habe ich noch nie gehört.«

»Obwohl es mir auf der bewussten Ebene nicht klar war«, fuhr Emma fort, »hatte ich folgende Befürchtung: Je älter ich wurde, desto näher kam der Tag, an dem ich mich von meinem Vater trennen musste. Dann würde ich alleine und auf mich selbst gestellt sein und würde alles selbst bewältigen müssen. Also wehrte ich mich dagegen, indem ich versuchte, nicht erwachsen zu werden.«

»Und bei diesem Prozess hast du eine Kurzgeschichte in zwei Akten erschaffen«, schlussfolgerte Hannah. »Du hast Entscheidungen getroffen und deine Realität gestaltet.«

»Ja, das habe ich. Und es war keine Realität, über die ich besonders glücklich war.«

Hannah dachte eine Weile nach. »Und was ist nach deinem Gespräch mit Casey passiert?«

»Tja, ich würde dir sehr gerne erzählen, dass danach alles perfekt war«, antwortete Emma lächelnd. »Aber die Unterhaltung über die Kurzgeschichte in zwei Akten bedeutete lediglich den Beginn unserer Gespräche. Und es war nur der Anfang meiner ablehnenden Haltung.«

 **9** Casey ging in die Küche. Sie spürte, dass Emma und Hannah sich gut verstanden, und wollte ihnen etwas Raum geben. »Wie läuft es dort draußen?«, fragte Mike.

»Alles bestens.«

»Und wie geht es unserem Gast?«

»Sie steht am Anfang von etwas Großem«, antwortete Casey. »Dieses Alter kann eine schwierige Zeit im Leben sein. Und ich glaube nicht, dass sie zu Hause viel Unterstützung bekommt.«

»Haben sie dich vom Jugendtisch verbannt?«, frotzelte Mike grinsend.

Casey verdrehte zum Spaß die Augen. »Ich glaube, bei diesem Teil des Gesprächs ist es besser, wenn Emma es alleine führt. Wo ist eigentlich Max?«

»Er schaut sich den platten Reifen an.«

Casey nickte in Gedanken versunken.

»Ich sehe dir an, dass du etwas aausheckst. Was überlegst du gerade?«, fragte Mike nach einer kurzen Pause.

»Ich habe da so eine Idee.«

»Eine große Idee?«

»Wir müssen dafür morgen hier sein.«

»Wirklich?«, erwiderte Mike etwas überrascht.

Sie nickte bestätigend. »Ja, wirklich.«

 **10**  Hannah sah Emma über den Tisch hinweg an. »Wogegen hast du dich noch gesträubt?«, fragte sie.

»Dagegen, ich selbst zu sein.«

»Aber du *bist* du. Wer solltest du sonst sein?«

»Wahrscheinlich ist das einer der verwirrenden Aspekte des Erwachsenwerdens. Wenn wir klein sind, widmen wir uns den Dingen, die uns Spaß machen. Wir ziehen an, was wir gerne tragen möchten, spielen mit Sachen, mit denen wir gerne spielen möchten. Es ist alles sehr unkompliziert.

Dann werden wir etwas älter, und alle möglichen äußeren Einflüsse beginnen auf uns einzuwirken. Fernsehsendungen, Social Media, was wir im Internet sehen oder was andere Jugendliche sagen. Schon bald ist es schwieriger zu erkennen, was uns selbst tatsächlich entspricht und welches Verhalten wir einfach übernommen oder welche Überzeugungen wir irgendwo aufgeschnappt haben.

Im Laufe der Zeit fühlte ich mich immer weniger wohl damit, ich selbst zu sein. Die Meinungen und Kommentare anderer Leute hatten mehr und mehr Einfluss auf meine Entscheidungen.«

Emma machte eine Pause. »Ich begann, mich anders

zu kleiden und zu verhalten, damit möglichst niemand irgendetwas Gemeines zu mir sagen würde.«

Hannah nickte verständnisvoll.

»Ich habe sogar eine Weile mit dem Surfen aufgehört«, fügte Emma hinzu. »Obwohl es zu meinen absoluten Lieblingsdingen auf der ganzen Welt gehörte.«

»Und was ist letztlich dabei herausgekommen?«

»Das ging etwa ein Jahr lang so, bis mein Vater und ich eines Abends ein sehr langes Gespräch führten. Und Casey und ich hatten eine ganze Reihe von Unterredungen.«

»Und?«

»Ich habe begriffen, dass mein instinktgesteuertes Gehirn begann, sich über meinen höheren Geist hinwegzusetzen.«

Hannah sah sie rätselnd an. »Was bedeutet das?«

»Was ist für dich mit fünfzehn anders?«, fragte Emma zurück.

Hannah zuckte mit den Achseln. »Ich weiß es nicht. Im Vergleich wozu?«

»Im Vergleich dazu, als du noch ein kleines Kind warst.«

»Ich weiß es nicht.«

Emma erwiderte lächelnd: »Um es mit Caseys Worten zu sagen: Was wäre, wenn du es doch wüsstest?«

Hannah schmunzelte über Emmas Bemerkung, verdrehte leicht die Augen und dachte noch einmal nach. »Die Leute haben sich verändert«, antwortete sie. »Mit Ausnahme von meinen engen Freundinnen können die Mädchen in der Schule unglaublich fies sein. Und die Jungs sind Idioten. Es ist, als würden sie von irgendeiner seltsamen Kraft gesteuert. In einem Moment sind sie witzig und verhalten sich normal, und im nächsten sehen sie einen an wie …« Sie hielt inne und errötete.

»Glaub mir, das kenne ich«, sagte Emma.

Zögernd fuhr Hannah fort: »Ich glaube, ich habe mich auch verändert. Es ist, als würde ich mir viel mehr Gedanken über die Meinung anderer Leute machen als je zuvor.«

Emma nickte. »Okay«, sagte sie. »Bist du bereit dafür, dass dein Weltbild vielleicht etwas ins Wanken gerät?«

»Ich denke, ja.«

»Das instinktgesteuerte Gehirn«, begann Emma, »soll für das Überleben der Spezies sorgen. Es ist eine Art innerer Antrieb, um sicherzustellen, dass die Menschen nicht aussterben. Allerdings gilt das nicht nur für die Menschen. Dieser Antrieb ist, soweit ich weiß, bei allen Lebewesen vorhanden – angefangen bei den Eisbären über die Pinguine bis hin zu den Menschen.

Es ist eine so mächtige Kraft, dass Eisbären tatsächlich wochenlang durch die gefrorene Tundra wandern und weite Strecken durch das Meer schwimmen. Und alles mit dem einzigen Ziel, einen Partner zu finden. Außerdem riskieren sie im Kampf mit anderen Eisbären ihr Leben, um eine Chance zur Paarung zu bekommen.

Pinguine halten monatelang ohne Nahrung durch und setzen sich der Gefahr aus, zu verhungern und zu erfrieren, um das Überleben ihrer Art zu sichern.«

»Und die Menschen?«, fragte Hannah.

»Die verletzen sich gegenseitig, zerstören Freundschaften, ruinieren sich finanziell, verlieren ihre eigene Identität ...«

Hannah sah Emma skeptisch an. »Ich bin mir nicht wirklich sicher, dass das jeden Tag an meiner Schule passiert.«

»Tatsächlich?« Emma machte eine Pause. »Das instinktgesteuerte Gehirn schaltet sich nicht bei allen im gleichen Alter ein. Und es kommt nicht bei jedem Menschen mit derselben Intensität zum Tragen. Aber an einem gewissen Punkt wird es bei uns *allen* aktiv.«

»Ich bin erst fünfzehn, Emma. Ich habe kein Interesse daran, mich zu ›paaren‹, damit die Spezies überlebt.«

»Das ist verständlich. Ich bin neunzehn und habe auch kein Interesse daran. Aber vor hundert Jahren hätten wir mit fünfzehn und neunzehn wahrscheinlich mindestens ein Kind gehabt oder sogar bereits mehrere. Die Gesellschaft hat sich verändert, aber in unserem Gehirn und unserem Körper läuft immer noch das alte Programm.

Und dieses Programm basiert auf einem viel tiefer liegenden Code. Es handelt sich dabei um einen alten Programmcode, der bis zu den Säbelzahntigern und den Wollhaarmammuts zurückreicht. Und dieser besagt, dass nur die Auserwählten eine Chance haben werden, sich zu paaren. Dass nur die Auserwählten ›relevant‹ sein werden.

Und so verrückt das auch klingen mag, dieser überaus tief verwurzelte alte Code gehört zu den Dingen, die mit etwa vierzehn oder fünfzehn aktiviert werden. Er befeuert den Wunsch, zu den Auserwählten zu gehören. Weil die Auserwählten wichtig sind. Weil sie nützlich für das Fortbestehen der Spezies sind und ihr Leben daher einen Sinn hat.«

»Und was ist mit dem Leben all der anderen?«, fragte Hannah.

»Aus der Perspektive dieses überaus alten Codes sind alle anderen irrelevant. Sie sind eigentlich nicht wichtig.«

»Das klingt verrückt.«

»Glaub mir, ich habe dasselbe gedacht, als mein Vater es mir erklärt hat. Aber nach diesem Gespräch habe ich beobachtet, wie andere Leute sich verhielten und wie *ich* mich verhielt. Dabei kamen einige sehr interessante Erkenntnisse zutage.«

»Zum Beispiel?«

»Zunächst einmal wurde mir bewusst, wie ich mich kleidete. Je nach Laune trug ich entweder etwas, das mir ein gutes Gefühl mir selbst gegenüber verlieh, oder etwas, womit ich die Aufmerksamkeit anderer Leute auf mich ziehen wollte. Und wenn ich innerlich gerade eine Art ›Antihaltung‹ hatte, zog ich extra etwas ganz anderes an als die anderen Mädchen, die durch ihre Kleidung Aufmerksamkeit bekommen wollten. Nur um zu beweisen, dass ich nicht so war wie sie.«

»Und?«, bohrte Hannah nach.

»Die anderen machten sich so oder so über mich lustig. Besonders die Mädchen. Sie versuchten, mich runterzumachen. Mir mein Selbstbewusstsein zu rauben.

Selbst meine Freundinnen und ich waren aufeinander eifersüchtig, wenn zwei von uns auf den gleichen Kerl standen. Oder wenn eine von uns einen Freund hatte und die anderen nicht.«

Emma machte eine kurze Pause. »Übrigens kämpften die Jungs, die in meinem Alter waren, ebenfalls darum, besonders wichtig zu sein. Aber damals verstand ich all das nicht. Ich wusste lediglich, dass ich nicht mehr ich selbst war, und ich vermisste mich. Ich vermisste es, fröhlich und unbeschwert und überzeugt von mir selbst zu sein. Gern meine eigenen Entscheidungen zu treffen und das Leben so zu führen, wie ich es wollte.«

»Und damit hattest du ein Jahr lang zu kämpfen, bevor dein Vater dich darauf angesprochen hat?«, fragte Hannah.

Emma zuckte mit den Achseln. »Es entwickelte sich nicht innerhalb eines Tages von ›keinerlei Problem‹ zu einem ›Chaos der Stufe zehn‹. Es war vielmehr ein allmählicher Prozess. Bei mir persönlich, und auch bei meinen Freunden. Aber eines Tages hatte ich eine größere Krise, und da sagte mein Vater, es wäre gut, wenn wir miteinander reden würden.

Er fragte mich, wie es mir gehe, und ich erzählte ihm, dass ich manchmal das Gefühl hätte, von irgendeiner anderen Kraft gelenkt zu werden. Wie eine Marionette. Also erklärte er mir, wie das instinktgesteuerte Gehirn funktioniert, und half mir zu verstehen, dass es zum Leben dazugehört. Und dass ich – wenn ich es mir wirklich bewusst machte – erkennen würde, wie sehr sowohl das Verhalten anderer Menschen als auch mein eigenes davon gesteuert werden kann.«

Emma hielt kurz inne und fuhr dann fort: »Als ich das Ganze aus einer entsprechend großen Distanz betrachtete, wurde mir klar, dass ich mich gar nicht so anders verhielt als die Eisbären und Pinguine.«

»Und hat dieses ganze Wissen dir geholfen?«

Emma nickte. »Ja, das hat es. Es hat mir geholfen zu erkennen, dass ich andere Leute nicht kontrollieren konnte. Wenn sie beschlossen, im Modus des instinktgesteuerten Gehirns zu agieren, dann taten sie es eben. Es war ihre Entscheidung. Und ob ich selbst mich in diesem Modus befand oder nicht, war wiederum *meine* Entscheidung.

Im Lauf vieler weiterer Gespräche mit meinem Vater und Casey begriff ich allmählich, dass es nicht so sein musste. Ich konnte mich entweder weiterhin von den Marionettenfäden lenken lassen und entsprechend einer uralten biologischen Veranlagung danach streben, wichtig zu sein, oder ich beschloss, in einem höheren Gehirnmodus zu agieren, in dem ich selbst definierte, was für mich eine Bedeutung hatte.

Und wenn ich mich dafür entschied, würde ich selbst kontrollieren, was ich dachte, fühlte und wie ich mich verhielt.«

Hannah betrachtete die erste Frage auf der Speisekarte.

*Wer bist du?*

»Das klingt nicht nach einer besonders schweren Entscheidung«, vermutete sie.

Emma nickte. »Ja, das würde man annehmen, aber das instinktgesteuerte Gehirn hat wirklich eine große Macht. Offenbar haben wir alle innere Trigger ...«

»Aber du hast gelernt, nicht auf sie zu hören?«

»Ich glaube, ich habe zunächst einmal gelernt, sie zu verstehen. Ich wollte ich selbst sein. Ich wollte glücklich sein. Ich wollte meine Zeit mit den Dingen verbringen, die mir Spaß machten, die Kleidung tragen, die ich tragen wollte, und mich so verhalten, wie *ich* mich verhalten wollte. Mir war lediglich nicht bewusst, was mich von alldem abhielt, bis ich die Gespräche mit meinem Vater und Casey führte.«

Emma zuckte mit den Achseln. »Ich würde nicht sagen, dass ich alles *sofort* verstand und von diesem Moment an wieder hundertprozentig ich selbst war oder dass mir die Meinung anderer Leute egal war und ihr Verhalten oder ihre Worte mir nichts ausmachten. Es war nicht einmal annähernd so.«

Sie zuckte erneut mit den Achseln. »Ich würde auch nicht behaupten, dass ich immer in einem höheren Gehirnmodus bin. Aber wenn es nicht der Fall ist, weiß ich es zumindest und bin mir über die treibende Kraft bewusst, die mich im Instinktmodus festhalten will.« Sie machte eine kurze Pause. »Und ich weiß, dass ich die Wahl habe, in welchem Gehirnmodus ich agiere.«

 **11** Emma und Hannah saßen schweigend da. Hannah hatte ihr Omelett aufgegessen und überlegte, ob sie die Pfannkuchen in Angriff nehmen sollte.

»Na, wie geht es euch?«

Emma sah lächelnd auf, und Hannah folgte ihrem Blick. Der Mann aus der Küche kam zu ihnen herüber. Er hatte die Küchenschürze abgenommen, in der sie ihn zuvor gesehen hatte, als er ihr zugewunken hatte. Nun trug er eine Jeans und ein T-Shirt. Er strahlte ein entspanntes Selbstvertrauen aus. Seine Haare waren leicht zerzaust und wurden an den Schläfen schon grau, aber er hatte etwas sehr Jugendliches an sich, sodass es schwierig war, sein Alter zu schätzen. Er hatte eine sportliche Statur und wirkte auf eine kernige Weise attraktiv.

»Sieht ganz so aus, als wäre das Omelett ein Volltreffer gewesen«, sagte er schmunzelnd und deutete mit dem Kopf auf den leeren Teller.

»Absolut. Es war wirklich sehr lecker«, antwortete Hannah.

»Das freut mich zu hören.« Der Mann räumte den Omelettteller ab. »Ich heiße übrigens Mike.«

Bevor Hannah etwas erwidern konnte, fügte er hinzu: »Ich habe gehört, dass dein Fahrrad einen Platten hat.

Ein Stammkunde von uns namens Max ist zufällig heute hier, und er ist sehr geschickt darin, Dinge zu reparieren. Er meinte, er wäre sehr gerne bereit, sich dein Fahrrad einmal anzusehen, wenn du damit einverstanden bist.«

Hannah war sich nicht sicher, was sie darauf antworten sollte. Sie hatte es nicht gerne, wenn Leute an ihren Sachen herumfummelten, und sie hatte kein Geld, um jemanden für die Reparatur ihres Fahrrads zu bezahlen.

»Du musst ihm kein Geld dafür geben oder sonst was«, sagte Mike, als könne er ihre Gedanken lesen. »Es macht ihm einfach Spaß, Dinge zu reparieren, und ich glaube, wir haben hier noch einen Ersatzschlauch, der von der Größe her wahrscheinlich zu deinem Reifen passt.«

Wie bereits zuvor, als Casey es erwähnt hatte, fragte sich Hannah, warum sie im Café ausgerechnet einen Ersatzschlauch hatten.

»Ich habe immer ein paar Ersatzteile für mein Fahrrad parat«, schaltete sich Emma ein.

Hannah war etwas unwohl zumute, da es bereits zum zweiten Mal innerhalb weniger Sekunden so wirkte, als könnten die anderen ihre Gedanken lesen.

Mike sah zum Tisch hinunter. »Ich mache dir einen Vorschlag: Wie wär's, wenn du mal mit Max darüber sprichst? Wenn du möchtest, dass er deinen Reifen repariert, prima. Wenn nicht, kein Problem. Ich räume unterdessen die leeren Teller ab und nehme das restliche Essen mit in die Küche, damit es warm bleibt.« Er lächelte Hannah freundlich an. »Ist das in Ordnung?«

Hannah war sich nicht sicher und warf Emma einen kurzen Blick zu.

»Ich mache dich mit Max bekannt, wenn du möchtest«, bot Emma fröhlich an. »Er ist wirklich nett.«

Hannah zögerte erneut, dann sagte sie: »Einverstanden.«

 **12** Kurze Zeit später standen Emma und Hannah vor dem Café.

»Es steht dort drüben.« Hannah deutete zu dem Platz, an dem sie ihr Fahrrad abgestellt hatte, und die beiden jungen Frauen setzten sich in Bewegung.

»Mike scheint ein netter Kerl zu sein«, bemerkte Hannah. Etwas verlegen hielt sie inne. »Er ist zwar schon ziemlich alt, aber trotzdem ist er ...«

Emma schmunzelte abwartend. »Er ist, was?«, hakte sie schließlich nach.

Hannah verdrehte die Augen. »Du weißt schon«, murmelte sie.

»Ja, ich weiß«, erwiderte Emma schelmisch grinsend. »Seit ich etwa fünfzehn war, haben meine Freunde mir immer wieder gesagt, dass mein Vater ziemlich gut aussieht.«

Hannah blieb stehen. »Das ist dein Vater?«

»Ja, das ist mein Vater«, antwortete Emma lachend.

»Dieselbe Person, die dir alles über das instinktgesteuerte Gehirn erklärt hat?«

»Genauso ist es.«

Hannah schwieg.

»Was ist?«, fragte Emma.

»Ich weiß nicht. Ich hatte einfach ein anderes Bild von der Person im Kopf, die über so etwas nachdenkt.«

Die beiden jungen Frauen gingen weiter, und als sie um die Ecke des Cafés bogen, erblickte Hannah einen sehr alten Mann, der neben ihrem Fahrrad stand.

Emma strahlte ihn an. »Na, was denkst du, Max?«

Der Mann wandte sich ihnen zu. »Ich bin mir nicht sicher. Ich habe es mir noch nicht genau angesehen.« Er deutete mit dem Kopf zum Fahrrad. »Ich wollte nichts anrühren, bevor die Eigentümerin mir ihr Einverständnis gegeben hat.« An Hannah gewandt fragte er: »Ist das dein Fahrrad?«

Sie nickte. Sie fand es gut, dass er ihr Fahrrad nicht angefasst hatte, bevor sie ihm ihr Okay gegeben hatte.

»Ist es in Ordnung, wenn ich es mir ansehe?«, wollte Max wissen.

Hannah überlegte kurz. Etwas in ihrem Inneren sagte ihr, dass nichts dagegen sprach, also nickte sie zustimmend.

»Du kannst die Arbeitsfläche hinten benutzen, wenn du möchtest«, schlug Emma vor. »Sie ist ziemlich leer, und dort gibt es auch Licht.«

Max warf ihr einen fragenden Blick zu.

»Gleich hinter dem Haus«, fügte Emma hinzu und deutete zur Rückseite des Cafés.

Max zuckte mit den Achseln und sagte an Hannah gewandt: »Es ist deine Entscheidung.«

Hannah spürte, dass etwas Seltsames im Gange war, aber sie konnte es nicht ergründen. »In Ordnung«, murmelte sie schließlich.

Max schob das Fahrrad zur Rückseite des Cafés. Als

er mit den anderen beiden um die Ecke bog, hielt er überrascht inne. Sie standen vor einer kleinen Betonplatte, etwa drei Meter mal drei Meter groß, die, abgesehen von einem Metallgestell, leer war. Sein Werkzeugkasten stand neben dem Gestell.

Erneut sah er Emma fragend an.

»Casey dachte, dass du vielleicht etwas Platz zum Arbeiten brauchen könntest«, erklärte Emma. »Und einen Montageständer.«

Max schob das Fahrrad an den Ständer heran und musterte ihn einen Moment lang.

Hannah hatte so einen Ständer schon einmal gesehen. Es war im hinteren Bereich des Ladens gewesen, in dem sie ihr Fahrrad gekauft hatte. Sie wusste nicht genau, wie er funktionierte, aber sie erinnerte sich daran, dass ein Fahrrad darauf montiert gewesen war. Irgendwie hatte es auf dem Kopf gestanden.

»Kennst du dich mit so einem Teil aus?«, fragte Max an Hannah gewandt.

»Ein bisschen«, antwortete sie. »Ich glaube, man befestigt das Fahrrad auf dem Kopf stehend und kann dann besser daran arbeiten.«

»Hm«, brummte Max. »Also, wenn ihr beiden mir helft, es am Montageständer zu befestigen, werde ich sehen, ob ich es reparieren kann.«

Emma strahlte. »Das klingt super, Max.« Sie griff das Fahrrad von einer Seite, und Hannah schnappte sich das andere Ende. Dann drehten sie es um und hoben es balancierend auf den Montageständer.

Max drehte am Vorderrad und war begeistert darüber, wie gut das Fahrrad im Reparaturständer fixiert war, sodass er alle Bereiche, an denen er arbeiten musste, gut erreichen konnte. »Klasse Teil!«, bemerkte er.

Die Tatsache, dass Max offensichtlich nicht sehr vertraut mit dem Montageständer war, machte Hannah skeptisch. Vielleicht war es doch keine so gute Idee gewesen.

»Ich suche am besten mal nach dem Ersatzschlauch«, überlegte Emma. »Ist es okay für dich, hierzubleiben und Max zu helfen, Hannah?«

Hannah zögerte. Max drückte den Reifen bereits an verschiedenen Stellen mit den Fingern zusammen. Er schien zu wissen, was er tat, aber sie war sich nicht sicher. »In Ordnung«, willigte sie schließlich ein.

Als Emma hinter der Hausecke verschwunden war, unterbrach Max seine Arbeit an dem Fahrrad und deutete mit dem Kopf zum Reifen. »Was ist deiner Meinung nach die Ursache für den Platten?«

»Ich bin über Glasscherben gefahren«, erklärte Hannah. »Ich habe sie auf der Straße gesehen, aber bevor ich ausweichen konnte, war es bereits zu spät. Ich wusste sofort, dass ich darübergefahren war.«

»Ich mag es überhaupt nicht, wenn andere Leute so etwas mutwillig machen. Wenn sie ein Chaos verursachen, das anderen Probleme bereitet.« Er deutete auf seinen Werkzeugkasten. »Könntest du mir bitte einen Sechser-Ringschlüssel und einen Schlitzschraubenzieher geben?«

Ohne zu zögern, öffnete Hannah den Werkzeugkasten, suchte heraus, was Max haben wollte, und reichte ihm das Werkzeug.

»Du kennst dich mit einem Werkzeugkasten ja bestens aus«, sagte er anerkennend. »Gut gemacht.«

Hannah errötete. Sie war es nicht gewohnt, gelobt zu werden. Schon gar nicht bei solchen Dingen.

»Na, dann«, sagte Max auffordernd. »Wenn du die Werkzeuge kennst, weißt du wahrscheinlich auch, wie man sie benutzt.«

Damit reichte er ihr den Ringschlüssel und schnappte sich selbst einen Maulschlüssel. »Lass uns den Reifen zunächst abmontieren, und dann sehen wir nach, wie sehr er beschädigt ist. Bestenfalls muss nur der innere Schlauch ersetzt werden.«

Hannah wartete, bis Max die Schraube, die den Reifen fixierte, gut mit dem Maulschlüssel festhielt. Dann löste sie die Schraube auf der gegenüberliegenden Seite mit dem Ringschlüssel.

»Du bist wirklich sehr geschickt«, lobte sie Max, während er ihr dabei zusah.

»Ich repariere gerne Dinge«, antwortete Hannah. »Allerdings …«, sie stockte.

Max sah sie aufmerksam an.

»Meiner Mutter gefällt das nicht. Wobei sie es mag, wenn etwas kaputt ist und ich es reparieren kann. Aber ihr gefällt nicht, dass mir so etwas Spaß macht.«

Max nickte, während er das auf sich wirken ließ.

»Wie hat dir das Essen geschmeckt?«, fragte er schließlich und deutete mit dem Kopf auf das Café.

»Es war sehr lecker. Ich habe noch nicht alles

aufgegessen, aber Mike, ich meine, Emmas Vater, wollte den Rest für mich warm halten, solange ich hier draußen bin.«

»Mike ist ein netter Kerl«, bemerkte Max und machte eine Pause. »Die Leute hier sind alle großartig.«

Hannah nickte und entfernte die Schraube auf ihrer Seite vom Fahrradrahmen. Max reichte ihr die Schraube von der anderen Seite, und sie legte beide auf den Boden.

»Kommen Sie häufig hierher?«, fragte sie Max. »Ins Café?«

Max warf ihr einen etwas seltsamen Blick zu, aus dem sie nicht schlau wurde. »Ich denke schon. Es ist ein Ort, an dem man irgendwie landet, wenn man es am meisten braucht.«

Hannah wusste nicht, was sie darauf antworten sollte.

»Lass uns nun den Mantel abnehmen und dann sehen, was Sache ist«, fügte Max hinzu und legte den Fahrradreifen auf den Boden.

»Weißt du, wie man das macht?«

Hannah schüttelte den Kopf.

»Ich zeige es dir«, sagte Max. »Für den Fall, dass du es irgendwann noch einmal machen musst.«

Er erklärte ihr, wie und an welcher Stelle sie den Schraubenzieher festhalten musste, schnappte sich selbst einen zweiten, und dann begannen die beiden, den Mantel von der Felge zu lösen.

 **13** Als Emma in die Küche kam, fragte Mike sie:»Na, wie läufts, Coconut?«

Sie schmunzelte. Er hatte sie schon immer so genannt, solange sie sich erinnern konnte. Ihm zufolge kam das daher, dass sie nur etwas größer als eine Kokosnuss gewesen war, als er sie das erste Mal auf dem Arm gehalten hatte.

»Max bastelt gemeinsam mit Hannah an ihrem Fahrrad. Ich habe ihnen gesagt, dass ich nach einem Schlauch suche. Weißt du vielleicht, wo genau er versteckt sein könnte?«

»Ich glaube, Casey hat erwähnt, dass er auf dem Regal unter der Kasse liegt«, antwortete Mike. »Vielleicht sollte es aber eine kleine Weile dauern, bis du ihn findest.«

Emma nickte. »Das habe ich auch gedacht. Irgendetwas sagt mir, dass Max und Hannah einen guten Draht zueinander haben.«

»Was hast du bisher für einen Eindruck?«, fragte Mike weiter.

»Ich bin etwas aufgeregt. Aber es läuft ganz gut. Wir hatten ein gutes Gespräch, während sie gegessen hat.«

»Worüber?«

»Über das instinktgesteuerte und das höhere Gehirn.«

»Ich erinnere mich daran, wie wir beide uns darüber unterhalten haben«, bemerkte Mike.

»Wir haben immer wieder darüber gesprochen.«

Mike zuckte mit den Achseln. »Das instinktgesteuerte Gehirn folgt einem sehr starken Programmcode. Sobald wir erkennen, worum es sich dabei handelt, wird es immer leichter, ihn zu überschreiben. Aber es erfordert einige Mühe, um diesen Punkt zu erreichen.« Er seufzte. »Außerdem wird sehr viel Energie darauf verwendet, dass die Menschen im Modus des instinktgesteuerten Gehirns bleiben.«

»Ich habe mit Hannah bisher lediglich an der Oberfläche gekratzt«, erklärte Emma. »Aber wir werden sicher noch ausführlicher darüber sprechen, wenn sie das möchte.«

Mike sah Emma anerkennend an. »Hat deine Intuition dir noch weitere Impulse vermittelt?«

Emma dachte nach. »Ich hatte ein paar spontane Eingebungen. Allerdings möchte ich sie nicht überfordern. Du hast mir ja diese Themen schon nahegebracht, seit ich mich erinnern kann. Und trotzdem hatte ich sehr damit zu kämpfen. Ich habe das Gefühl, es wäre zu viel für sie, wenn ich ihr alles auf einmal erzählen würde.«

»Welche Eingebungen hattest du denn?«

»›Gib deinem Gehirn einen Namen‹ war der dominanteste Aspekt. Ich hatte außerdem eine intensive Eingebung dazu, wie schnell wir uns verändern können.«

»Warum kam dir deiner Meinung nach das Thema ›Gib deinem Gehirn einen Namen‹ in den Sinn?«, hakte Mike nach.

Nach kurzer Überlegung erwiderte Emma: »Ich habe mich einfach daran erinnert, wie sehr es mich beeindruckt hat, als ich es wirklich begriffen hatte. Am Anfang war es mir lediglich wie ein kleines Spiel vorgekommen.«

»Du warst wahrscheinlich erst vier oder fünf, als ich dir zum ersten Mal davon erzählt habe«, überlegte Mike.

»An das erste Mal erinnere ich mich nicht mehr.«

»Wirklich nicht?« Mike klang etwas enttäuscht.

Emma schüttelte den Kopf.

»Damals warst du sehr aufgebracht, weil ihr an dem Tag eure Lieblingsstofftiere mit in den Kindergarten bringen solltet. Ich wusste nichts davon, und du hattest dein Stofftier vergessen. Als ich dich am Nachmittag abgeholt habe, warst du sehr traurig, weil alle anderen ihre Stofftiere dabeigehabt hatten, du aber nicht.«

»Daran kann ich mich nicht mehr erinnern«, meinte Emma lächelnd.

»Es war jedenfalls ein *sehr* großes Drama. Also unterhielten wir uns darüber, wer dafür verantwortlich ist, dass wir uns an bestimmte Dinge erinnern. Unser Gehirn nämlich. Und wir überlegten, dass wir vielleicht ein kleines Gespräch mit unserem Gehirn führen müssen, wenn es uns nicht genügend unterstützt. Aber wir konnten uns nicht mit unserem Gehirn unterhalten, wenn wir seinen Namen nicht wussten. Und da es uns seinen Namen nicht verraten konnte, war es an uns, ihm einen zu geben. Also nanntest du deins Schmetterling. Und von diesem Zeitpunkt an hast du – immer wenn etwas nicht rundlief oder wenn du dich an etwas erinnern wolltest – ein kurzes Gespräch mit Schmetterling geführt und ihn wissen lassen, was du von ihm erwartest.«

Emma lachte. »Daran erinnere ich mich wirklich nicht mehr.«

»Tja, damit hat alles angefangen. Und wann hast du dich *deiner* Erinnerung zufolge zum ersten Mal an Schmetterling gewandt?«, fragte Mike.

Emma dachte einen Moment lang nach. »Als ich Pfannkuchen gebacken habe. Wir hatten Gäste im Café, und ich wollte bei der Zubereitung des Essens helfen. Ich sollte die Zutaten miteinander verrühren, habe mir aber gleichzeitig eine Sendung im Fernsehen angesehen. Du hast mich darauf hingewiesen, dass es hilfreich wäre, Schmetterling dazu zu bringen, sich auf das Rühren zu konzentrieren, wenn unsere Gäste ihr Frühstück bekommen sollten.«

Mike schmunzelte. »Und wie war es, als du begonnen hast, das Ganze wirklich zu begreifen?«

Emma dachte erneut nach. »Ich glaube, es war in dem Jahr, als wir angefangen haben, die größeren Winterwellen zu surfen. Ich weiß noch, dass ich große Angst hatte, als wir zum ersten Mal draußen waren und ich die ersten Wellenserien auf uns zukommen sah.«

»Ja, eine Welle, die größer ist als wir selbst, kann ziemlich einschüchternd wirken«, bestätigte Mike.

»Du hast mich überhaupt nicht gedrängt«, fuhr Emma fort. »Und ich war nahe dran, zurückzupaddeln und es nicht zu versuchen.«

»Aber du hast es nicht gemacht«, sagte Mike. »Ich erinnere mich an diesen Tag. Wir haben ein paar großartige Wellen gesurft.«

Emma nickte. »Ich war mittlerweile alt genug, um zu verstehen, dass wir nicht unser Gehirn oder unser unbewusster Geist sind. Und du hattest mir jahrelang geholfen, die Gesprächsmethode mit Schmetterling zu nutzen, um mich zu beruhigen, zu konzentrieren oder mich an Dinge zu erinnern. Allerdings schien die Herausforderung an diesem Tag besonders groß zu sein.«

»Hat es deshalb an diesem Tag klick gemacht?«

»Ich weiß es nicht genau. Ich war draußen im Wasser und hatte tatsächlich Angst. Aus irgendeinem Grund fragte ich Schmetterling, wovor er Angst hatte. Dann sagte ich ihm, wovor ich Angst hatte. Dann machten wir gemeinsam einen Plan und setzten ihn um.«

Emma hielt strahlend inne. »Ich war an diesem Tag auf eine überaus beeindruckende Weise mental und intuitiv im Flow. Es war, als wäre ich nicht alleine, sondern als wäre ich gleichzeitig mit all meinen Fähigkeiten und Ressourcen verbunden. Mit meinem denkenden Ich, mit dem Teil von mir, der mein Denken beobachtet, mit meiner Intuition, meinen Muskeln … Die einfache Tatsache, dass ich mit Schmetterling gesprochen hatte, verband alles miteinander, sodass ich vollkommen im Einklang mit mir selbst war.«

Emma hielt kurz inne und fuhr dann fort. »Ich glaube, mir wird erst jetzt richtig klar, dass ich an diesem Tag begonnen habe, der Methode auf einer höheren Ebene zu vertrauen. Natürlich hatte ich schon jahrelang miterlebt, wie du sie genutzt hast. Zum Beispiel wenn du dich an etwas erinnert hast, als wir gerade aus dem Haus gehen wollten, und du dich daraufhin bei deinem Gehirn bedankt hast.«

»Sophokles«, sagte Mike schelmisch grinsend.

Emma grinste zurück. »Oder wenn du bei einem unserer Abenteuer eine starke intuitive Eingebung hattest, die sich als sehr wichtig herausstellte, und du dann von deinen inneren Gesprächen mit Sophokles berichtet hast.

Ich glaube, als ich an diesem Tag die großen Wellen gesurft bin, habe ich wirklich erlebt, wie sehr uns das stärken kann.«

Mike nickte bestätigend. »Tja, das haben wir beide einem Gast hier im Café zu verdanken. Hätte er mir nicht davon erzählt, hätte ich es dir nicht weitervermitteln können.«

»Und mir wäre es nicht in den Sinn gekommen, mit Hannah darüber zu sprechen.«

»Genau. Hast du eine Idee, warum es für sie von Bedeutung sein könnte?«

Emma schüttelte den Kopf. »Nein. Aber irgendetwas sagt mir, dass es so ist.«

»Dann wird es bestimmt zutreffen«, stimmte ihr Mike zu.

 **14** »Werden sich deine Eltern keine Sorgen um dich machen?«, fragte Max Hannah, während sie an dem Reifen arbeiteten.

»Ich glaube nicht. Und schon gar nicht heute, an einem Freitag.«

»Was hat denn der Wochentag damit zu tun?«

»Freitag ist Zahltag.«

Max sah Hannah fragend mit hochgezogenen Augenbrauen an.

»Und das bedeutet, der erste Stopp ist der Spirituosenladen«, erklärte sie. »Am Freitag ist Partytag. Das gesamte Geld wartet darauf, auf den Kopf gehauen zu werden. Bis der Dienstag kommt und sie erkennen, dass kein Geld mehr übrig ist und es noch eine halbe Woche dauert, bis wieder Geld reinkommt.«

»Und wie sieht es mit Lebensmitteln aus?«, fragte Max.

»Die sind bis zum Dienstag auch aufgebraucht.«

»Ist das jede Woche so?«

»Solange ich mich zurückerinnern kann, ja.«

Max nickte.

»Man lernt, damit umzugehen. Als ich kleiner war, wurde ich geschlagen, wenn ich sagte, dass ich Hunger hatte. Also habe ich begonnen, Lebensmittel in meinem

Zimmer zu verstecken, die ich nachts essen oder kochen konnte, wenn meine Eltern nicht zu Hause waren.«

Sie warf Max einen flüchtigen Blick zu. »Bestimmt hatten *Sie* bessere Eltern.«

In diesem Moment teilte sie gegen ihn aus, und ihre Wut machte sich auf diesem Weg Luft. Doch kaum war es passiert, bereute sie es bereits.

»Ich hatte keine Eltern«, murmelte Max leise.

Hannah unterbrach ihre Arbeit an dem Reifen.

»Wirklich?«, fragte sie und hatte ein schlechtes Gewissen wegen ihrer Äußerung und der Art und Weise, wie sie ihm die Worte an den Kopf geworfen hatte.

»Ja, wirklich«, erwiderte er. »Ich bin in einem Waisenhaus aufgewachsen, bis ich fünfzehn war. Dann bin ich fortgelaufen. Ich hatte nie Eltern.«

»Das tut mir leid«, sagte Hannah, unsicher, wie sie sonst hätte reagieren sollen. »Ich wusste nicht …«

»Schon in Ordnung«, antwortete er. »Es ist nicht deine Schuld.« Er zuckte mit den Achseln. »Es gibt immer Menschen, die noch schlechter dran sind als man selbst, Hannah. Je mehr man von der Welt sieht, desto mehr wird einem das bewusst. Ich dachte, das Waisenhaus wäre das Allerschlimmste. Aber es gibt viele Kinder in verschiedenen Teilen der Welt, die schon ab einem Alter von vier oder fünf Jahren auf der Straße leben.« Er zuckte erneut mit den Achseln. »Es gibt immer jemanden, der noch schlechter dran ist. Daran erinnere ich mich, wenn ich im Selbstmitleid versinke.«

Sie arbeiteten eine Weile schweigend vor sich hin.

»Ist dieser Ort in Ordnung?«, fragte Hannah schließlich und deutete mit dem Kopf auf das Café. Aus irgendeinem Grund hatte sie das Gefühl, dass Max eine Art Außenseiter war, so wie sie. Dass er ihr die Wahrheit sagen würde.

»Ja«, erwiderte er. »Mehr als in Ordnung. Die Leute hier sind großartig. Allesamt.«

Hannah nickte.

»Ein Mann namens John hat mich hergebracht«, sagte sie nach ein paar Momenten des Schweigens. »Als ich über die Glasscherben gefahren bin und mir einen Platten geholt habe, hat es gewittert. Ich habe mich unter einer Brücke untergestellt, um zu warten, bis es vorbei wäre. Sein Auto hatte eine Reifenpanne, und er versuchte gerade, sie dort zu beheben. Er wollte mich eigentlich nach Hause fahren, aber die Straße war wegen Bauarbeiten gesperrt, daher mussten wir ein paar Umwege nehmen. Dabei verloren wir die Orientierung und landeten schließlich im Café.«

»Ich habe ihn kennengelernt«, bemerkte Max. »Er schien ebenfalls ein netter Kerl zu sein.«

Sie schwiegen erneut.

»Ist dieser Ort irgendwie seltsam?«, hakte Hannah noch einmal nach.

»Ja«, antwortete Max, »allerdings nicht auf eine schlechte Weise. Aber es stimmt schon. Die Gespräche hier sind nicht so wie die Gespräche, die man normalerweise führt.«

»Der Mann namens John hat mir erzählt, dass er diesen Ort gerne schon entdeckt hätte, als er noch jünger war. Er sagte, dass die Zeit hier sein Leben verändert habe.«

»Das Gleiche gilt auch für mich«, erwiderte Max.

»Ist man hier sicher?«, wollte Hannah wissen.

Max sah sie an. Bestimmt war sie an Orten gewesen, an denen man *nicht* sicher war. Das spürte er aufgrund der Art und Weise, wie sie die Frage gestellt hatte. Er wusste, wie es sich anfühlte, wenn man so etwas befürchten musste.

»Ja, Hannah. Es gibt viele Orte, für die das nicht gilt. Aber hier ist man sicher.«

Er bemerkte, dass sich ihre Schultern ein kleines bisschen entspannten.

»Gut«, antwortete sie.

»Ist es bei dir zu Hause sicher?«, fragte er sie nach einem Augenblick.

Sie dachte an ihr Zimmer. Daran, dass sie gelernt hatte, die Tür mit der kleinen Kommode zu verbarrikadieren, damit niemand hereinkommen konnte. Sie hatte es sich nach einem besonders beängstigenden Freitagabend angewöhnt, an dem ihre Eltern wieder einmal eine Horde von betrunkenen und bekifften Leuten zu sich eingeladen hatten.

»Es kommt auf den Tag an«, erwiderte sie.

»Man lernt, damit umzugehen, nicht wahr?«, sagte Max auf eine Weise, die ihr vermittelte, dass er sie verstand. »Man findet Wege, um zu überleben.«

Sie nickte. An den Wochenenden trank sie nach sechs Uhr nichts mehr. Kein Wasser, keine Limo, nichts. Auf diese Weise musste sie ihr Zimmer nicht verlassen, um auf die Toilette zu gehen, wenn die Musik laut dröhnte und fremde Leute im Flur herumlungerten und sie anzüglich angrinsten. Der Gedanke daran machte sie wütend. Max konnte es ihr vom Gesicht ablesen.

»Bei einem meiner ersten Besuche hier im Café hat Casey mir Folgendes erklärt«, fuhr Max fort. »Wut ist eine Manifestation von Angst. Wenn wir Angst empfinden und erkennen, wovor wir Angst haben, hilft es uns, damit umzugehen.«

Hannah sah ihn überrascht an. »Emma hat das vorhin, als wir drinnen waren, ebenfalls erwähnt. Funktioniert es wirklich?«, fragte sie skeptisch.

»Ja«, antwortete er. »Das tut es.«

»Ich glaube nicht, dass ich die Dinge abschaffen kann, die mich wütend machen«, überlegte sie und dachte an ihr Leben zu Hause.

»Das vielleicht nicht«, erwiderte Max. »Aber vielleicht wird dich Folgendes überraschen: Niemand sucht sich selbst aus, wo er geboren wird oder wer seine Eltern sind, Hannah. Aber wenn wir älter werden, erkennen wir, dass wir selbst die Wahl haben, wo wir bleiben und mit wem wir uns umgeben.«

 **15** Emma bog mit einer Schachtel, in der sich der Fahrradschlauch befand, um die Hausecke. Sie nahm sofort wahr, dass Max und Hannah sich gut verstanden.

»Na, wie läufts?«, fragte sie.

»Sieht so aus, als hätten wir ziemliches Glück gehabt«, antwortete Max. »Die Glasscherbe hat dem Mantel ein Loch zugefügt, aber er ist nicht aufgeschlitzt. Wenn der Schlauch passt, können wir das Rad wieder zum Laufen bringen.«

Emma reichte Max die Schachtel. Er blickte prüfend auf die Größeninformation auf dem Mantel und dann auf die Schachtel.

»Hast du eventuell noch einen anderen? Dieser hier hat die falsche Größe.«

»Tatsächlich?«, fragte Emma.

Max betrachtete den Mantel erneut. Und als er die Größe auf der Schachtel mit dem Fahrradschlauch ein zweites Mal las, schüttelte er leicht den Kopf. Erneut überprüfte er beide Größen.

»Hm. Wahrscheinlich habe ich es beim ersten Mal falsch gelesen«, murmelte er. »Jetzt stimmen die Größen überein.«

In diesem Moment hörten sie ein Klopfen am

73

Caféfenster. Von dort aus konnte man den Arbeitsbereich überblicken. Es war Casey. Sie sah hinaus und hielt ihren Daumen nach oben, als wolle sie mit dieser Geste fragen, ob der Schlauch die richtige Größe habe. Max nickte bestätigend und zuckte leicht mit den Achseln. Casey strahlte, verabschiedete sich mit einem Winken und verschwand wieder hinter dem Fenster.

»Ist dieser Ort irgendwie seltsam?«, murmelte Max leise und nahm den Schlauch aus der Verpackung.

»Entschuldigt bitte, falls ich euer Gespräch unterbrochen habe, als ich einfach so herbeigeschneit bin«, sagte Emma.

»Kein Problem«, antwortete Max. »Wir haben uns gerade darüber unterhalten, welche Wahlmöglichkeiten wir haben.«

»Und?«, fragte Emma an Hannah gewandt.

Diese erwiderte: »Ich verstehe schon, was Max meint, aber ich habe in Bezug auf mein Leben im Moment nicht viele Wahlmöglichkeiten.«

»Ist das tatsächlich so?«, hakte Max nach, als wolle er sie etwas herausfordern.

»Ich wohne in einem schäbigen kleinen Haus, mit Eltern, die davon überzeugt sind, dass ihre ganze Welt plötzlich eines Tages besser sein wird, wenn sie nur genug Alkohol trinken und genug Drogen nehmen. Was aber nie passieren wird.«

Sie hielt inne. »Es ist ein Ort, an dem es kaum etwas zu essen gibt, es sei denn, ich ziehe los und kaufe etwas von dem Geld, das ich mir nehme, wenn meine Eltern völlig zugedröhnt sind, oder das ich mir durch Gelegenheitsarbeiten selbst verdiene.«

Sie ließ den Kopf hängen. »Es ist ein Ort, an dem fremde Leute einfach kommen und gehen, und an dem ich vor langer Zeit gelernt habe, dass ich meine Zimmertür nachts verriegeln muss.«

Max nickte. »Welche Wahl hast du also?«, fragte er leise.

»Ich bin fünfzehn, Max«, entgegnete sie in einem zunehmend frustrierten Ton. »Ich habe keine große Wahl. Ich kann nicht einfach weg. Wo sollte ich denn hingehen? Es läuft doch nicht so, dass ich mich einfach entscheide, etwas Bestimmtes zu sein oder ein anderes Leben zu führen, und auf einmal passiert es dann auf magische Weise.«

Hannah sah zurück zum Café und dann zu Emma. »Ihr habt es gut hier. Dies ist ein schöner Ort. Dein Vater und Casey scheinen sehr nette Leute zu sein. Bei mir ist es nicht so.«

»Das verstehe ich«, erwiderte Emma einfühlsam. »Ich weiß aber auch, dass dein jetziges Leben nicht das Leben sein muss, das du für immer haben wirst.«

Hannah spürte, dass sie nur noch frustrierter wurde. Doch bevor sie etwas entgegnen konnte, blickte Max, der gerade versuchte, den Schlauch in den Mantel zu legen, von seiner Arbeit auf. »Du bist doch clever, oder?«, fragte er an Hannah gewandt.

Sie zuckte mit den Achseln.

»Es ist in Ordnung, dazu zu stehen«, sagte Max.

»Na gut, ja, ich bin clever.«

»Und obwohl es vielleicht nicht auf eine Weise geschehen ist, wie du es gerne gehabt hättest, hast du durch deine persönliche Lebenssituation gelernt, sehr unabhängig zu sein. Dinge umzusetzen. Etwas zu erledigen. Manchmal angesichts sehr großer Widrigkeiten.«

Hannah dachte nach. »Das stimmt schon. So habe ich es eigentlich noch nie gesehen.«

»Manchmal sind wichtige Geschenke in eine unschöne Verpackung eingehüllt«, resümierte Max.

Er schnappte sich einen Schraubenzieher. »Kannst du mir hierbei vielleicht helfen?«, fragte er Hannah.

Sie kniete sich neben dem Reifen hin. »Was soll ich tun?«

»Mit deinem Leben oder mit diesem Reifen?«

»Mit dem Reifen.«

Max erklärte ihr, wie man den Schlauch in den Mantel legte und diesen dann wieder auf die Felge zog. Als sie sich daranmachten, warf er ihr einen kurzen Blick zu. »Das wird das Reifenproblem beheben.«

»Super, dann muss ich jetzt nur noch mein Lebensproblem in den Griff bekommen.«

»Das könnte ebenfalls einfacher sein, als du denkst«, erwiderte Max ruhig.

»Ja, ganz bestimmt. Ich kann nur nicht einfach mit den Fingern schnippen und jemand anderer werden«, gab sie wütend zurück.

Ein paar Augenblicke lang sagte keiner von ihnen etwas. Dann bemerkte Emma sanft: »Jeder Experte hat einmal an einem Punkt angefangen, an dem er noch nichts darüber wusste, worin er ein Experte wurde.«

Als Hannah das hörte, bekam sie an den Armen eine Gänsehaut. Sie spürte körperlich denselben Schock wie in dem Moment, als Casey mit ihr über die Wahrheit gesprochen hatte. Es traf sie völlig unerwartet.

Max wandte sich vom Fahrrad ab und sah sie an. »Du hast deine Intelligenz geschenkt bekommen. Du hast gelernt, dich auf dich selbst zu verlassen und aktiv zu werden. Wenn nun noch einige kluge Entscheidungen sowie gute Lehrer hinzukommen, kannst du dein Leben so gestalten, wie du es gerne möchtest.«

Hannah erwiderte nichts darauf. Ihr Verstand wollte es gerne glauben. Ihr Herz wollte es sich sehnlichst zu eigen machen. Aber es schien so weit von ihrer persönlichen Realität entfernt zu sein. Die anderen verstanden es einfach nicht.

 **16** »Okay, dann wollen wir den Reifen mal wieder am Rahmen befestigen und aufpumpen«, sagte Max.

Er deutete mit dem Kopf auf den Reifen.

»Du hast die Ehre, denn es ist dein Fahrrad. Es sei denn, du möchtest Hilfe dabei haben.«

Hannah zögerte einen Moment, dann nahm sie den Reifen und schob ihn in die Halterung am Fahrradrahmen. Max reichte ihr den Ringschlüssel und schnappte sich selbst den Maulschlüssel sowie eine der beiden Befestigungsschrauben.

»Ich halte die Schraube auf meiner Seite fest, und du ziehst die Schraube bei dir an.«

Hannah übte Druck mit dem Ringschlüssel aus und spürte, wie die Schraube sich dabei festzog. Damit hatte sie zum ersten Mal selbst einen Reifen an ihrem Fahrrad repariert. Es war leichter gewesen, als sie gedacht hatte. Zu wissen, wie es funktionierte, fühlte sich aus irgendeinem Grund gut an.

»Jeder Experte hat einmal an einem Punkt angefangen, an dem er noch nichts darüber wusste, worin er ein Experte wurde«, dachte sie. Sie bekam wieder eine Gänsehaut auf ihren Armen. Irgendwie irritierte sie das.

Die Schraube saß nun fest und sicher, daher zog sie den Ringschlüssel ab. Max deutete mit dem Kopf auf eine kleine Luftpumpe, die Emma zusammen mit dem Ersatzschlauch mitgebracht hatte.

Hannah wusste, wie man eine Luftpumpe benutzte, und setzte den Aufsatz am Ventil des Fahrradschlauchs an. Ein paar Augenblicke später war der Reifen aufgepumpt. Max löste den Aufsatz der Luftpumpe wieder vom Ventil und schob den Reifen schwungvoll an, sodass er sich drehte.

»Sieht so aus, als würde es prima funktionieren«, bemerkte er.

Er hob das auf dem Kopf stehende Fahrrad vom Montageständer herunter, stellte es richtig herum auf den Boden und hielt es an den Griffen fest. Dabei sagte er zu Hannah: »Da hast du es wieder. Du kannst eine Probefahrt damit machen, wenn du möchtest.«

Hannah schob das Fahrrad auf dem Kiesweg entlang, der von der Betonfläche, auf der sie gearbeitet hatten, zur Vorderseite des Cafés führte. Danach überquerte sie den Parkplatz in Richtung Straße. Max und Emma folgten ihr.

Als sie die Straße erreicht hatten, schwang Hannah sich auf das Fahrrad und trat fest in die Pedale. Das Rad beschleunigte. Der Sturm war vorübergezogen, und obwohl die Nacht kurz bevorstand, war noch genug Restlicht vorhanden, sodass sie alles deutlich erkennen konnte.

Der Reifen schien in Ordnung zu sein. Das Fahrrad lief stabil dahin. Hannah trat stärker in die Pedale.

Max und Emma standen am Straßenrand und blickten ihr hinterher, während sie sich immer weiter von ihnen entfernte. »Sie befindet sich an einer Weggabelung«, sagte Max langsam.

»Wie meinst du das?«

»Ich habe das bereits erlebt. Viel Potenzial. Viele Hindernisse. Viele Entscheidungsmöglichkeiten. Und viel Wut. In fünf Jahren könnte sie sich in hundert verschiedenen Lebenssituationen befinden. Die alle in *sehr* unterschiedliche Richtungen führen.«

Emma nickte. »Vielleicht ist sie deshalb heute hier.«

Hannah fuhr immer schneller. Sie tastete mit der Hand nach ihrer Hosentasche und spürte dort ihr Handy. Außerdem trug sie ihre Jacke. Es gab keinen Grund zurückzufahren. Natürlich wusste sie nicht genau, wo sie war, aber wahrscheinlich würde irgendwann ein Auto vorbeikommen. Sie konnte es anhalten und nach dem Weg fragen.

Sie fuhr weiter. Sie kannte das Gefühl. Es fühlte sich gut an. Sie trat noch fester in die Pedale. Sie musste nicht umkehren.

»Sie haben mich einfach nicht verstanden«, dachte sie bei sich selbst.

Emma sah zu Max: »Sie dreht nicht um.«

Max blickte Hannah hinterher und schüttelte leicht den Kopf. »Nein, das tut sie nicht.«

Hannah hatte sich entschieden. Sie war zwar dankbar für das Essen und für die Hilfe mit dem Fahrrad, aber etwas an dem Café war seltsam. Es verunsicherte und irritierte sie. Sie würde nicht dorthin zurückkehren.

Als sie die Pedale weitere zwei Mal nach unten getreten hatte, klingelte ihr Handy. Sie erschrak. Warum hatte sie plötzlich wieder Empfang? Mit einer Hand griff sie in ihre Hosentasche.

Mike blickte durch eins der Caféfenster nach draußen. Er hatte beobachtet, wie Max, Emma und Hannah zur Straße gegangen waren. Nun sah es so aus, als würde Hannah nicht zurückkehren. Er blickte über die Schulter zurück zu Casey, die gerade die Theke abwischte. Sie zuckte mit den Achseln. »EMeniv.«

»Sehr richtig«, bemerkte Mike.

Als Hannahs Handy erneut klingelte, zog sie es aus ihrer Hosentasche heraus. Sie kannte die Nummer nicht, aber irgendetwas sagte ihr, dass sie drangehen sollte. »Hallo?«

Sie hörte dröhnende Musik und Menschen, die laut redeten. »Weil ich nicht weiß, wo mein Handy ist«, grölte eine stark lallende Stimme. »Ich gebe es dir gleich zurück. Nein, ich weiß nicht, wo sie ist«, lallte die Stimme weiter. »Aber der Vermieter steht an der Tür. Er will die Miete haben, und ich weiß, dass Hannah ihr Geld vom Babysitten hier irgendwo versteckt hat.« Hannah vernahm weiter lautes Stimmengewirr. Sie kannte die Stimme am anderen Ende. Es war ihr Vater.

Sie legte auf. Tränen traten ihr in die Augen, und sie kochte innerlich vor Wut. Warum war ihr Leben so? Womit hatte sie das verdient? Plötzlich kam ihr ein Moment von vorher in den Sinn.

Wut ist eine Manifestation von Angst.

»Na und?«, dachte sie wütend. Sie würde nicht zum Café zurückkehren. Sie kannte die Leute dort nicht. Sie vertraute ihnen nicht. Sie vertraute niemandem. Energisch wollte sie ihr Handy wieder in die Hosentasche schieben, doch weil sie vor lauter Frust nicht aufpasste, blieb es an ihrer Jacke hängen, glitt ihr aus der Hand und fiel zu Boden, wo es wegsprang.

Sie bremste heftig, um zurückzufahren und es aufzuheben. Beim Wenden warf sie einen kurzen Blick zurück. Emma und Max standen immer noch am Ende der Straße. Sie warteten auf sie.

**17**  »Die Bratkartoffeln schmecken ziemlich gut, wenn man sie warm hält, aber ein paar Pfannkuchen habe ich frisch gebacken«, verkündete Mike und stellte einen vollen Teller auf den Tisch. »Ehrlich gesagt, habe ich bei der ersten Serie vergessen, Ananas dazuzugeben. Dabei ist das in letzter Zeit meine Spezialität. Daher ist es gut, dass du sie beim ersten Mal noch nicht probiert hast.«

Er sah Hannah an. »Sonst noch etwas?«

Hannah schüttelte den Kopf, antwortete aber nicht. Sie war zurück im Café, und ob das die richtige Entscheidung war, wusste sie nicht. Max und Emma hatten auf der Straße auf sie gewartet. Nachdem sie ihr Handy vom Boden aufgehoben hatte, hatte sie beschlossen zurückzukehren. Sie war sich nicht sicher, warum sie das tat, aber sie wusste, dass sie nicht nach Hause wollte.

Emma trat an ihren Tisch heran. »Bitte sehr, Dad.« Sie reichte ihm ein kleines Kännchen.

»Super, danke, Coconut«, sagte Mike strahlend.

Nachdem Emma gegangen war, deutete Mike auf das Kännchen. »Dies ist ein besonderer Ananassaft-Kokosnussmilch-Sirup. Schmeckt wunderbar auf den Pfannkuchen.«

Er stellte das Kännchen auf den Tisch. »Gib mir Bescheid, wenn du noch irgendetwas brauchst. Ich werde nun die Schinkenstreifen aufwärmen. Das ist auch eine gute Kombination zu den Ananas-Pfannkuchen.«

Als er sich entfernte, ließ Hannah ihren Blick durch das Café schweifen. Sie war immer noch der einzige Gast. Max war zu dem Arbeitsbereich zurückgegangen. Und Emma befand sich irgendwo im hinteren Teil des Cafés. Ein paar Augenblicke später verschwand Mike in der Küche, und Hannah fühlte sich wieder sehr allein.

»Offenbar sind die Ananas-Pfannkuchen gut geworden«, sagte da eine Stimme.

Hannah wandte sich überrascht um. Casey stand an ihrem Tisch. Hannah hatte sie weder kommen gesehen noch gehört. Es war, als wäre sie aus dem Nichts aufgetaucht.

»Würdest du lieber alleine essen, oder möchtest du etwas Gesellschaft?«, fragte Casey.

Hannah zögerte. Sie wollte nicht alleine sein, aber sie hatte das intensive Gefühl, *nirgendwo* hinzugehören.

»Wahrscheinlich lieber Gesellschaft«, antwortete sie mit matter Stimme.

Casey rutschte ihr gegenüber in die Sitznische. »Iss auf«, sagte sie lächelnd und deutete mit dem Kopf auf die Pfannkuchen. »Sie schmecken zwar immer gut, aber am besten sind sie, wenn sie heiß aus der Pfanne kommen.«

Hannah goss etwas Sirup auf die Pfannkuchen und schnitt sich einen Bissen ab.

»Wie findest du sie?«, fragte Casey, als Hannah zu kauen begann.

Hannah schluckte den Bissen hinunter. »Sehr lecker.«

Casey schmunzelte. Sie ließ Hannah noch ein paar weitere Bissen essen. Die beiden saßen schweigend beisammen.

»Ich habe gehört, dass du dich gut mit Max unterhalten hast«, begann Casey schließlich.

Hannah zuckte mit den Achseln und antwortete nicht.

Casey blickte auf Hannahs Speisekarte, die links neben ihrem Ellbogen lag. Die Rückseite mit den drei Fragen zeigte nach oben.

Hannah folgte Caseys Blick und las die erste Frage.

*Wer bist du?*

»Es ist nicht so leicht, einfach jemand anderer zu sein«, stellte Hannah frustriert fest.

»Tatsächlich?«

»Ja, tatsächlich.«

Casey nickte, als würde sie nachdenken. »Wie alt warst du, als du gelernt hast, Fahrrad zu fahren?«, fragte sie nach einer Weile.

»Ich weiß es nicht«, erwiderte Hannah. »Zehn oder elf vielleicht. All die anderen Kinder haben es viel früher gelernt, aber ich hatte kein Fahrrad – bis ich genug Geld gespart hatte, um mir selbst eins zu kaufen. Bis dahin musste ich überall zu Fuß hinlaufen.«

»Vor diesem Tag warst du also keine Fahrradfahrerin?«, hakte Casey nach.

Hannah zögerte. Sie fragte sich, warum Casey ihr all diese Fragen stellte. »Nein, ich denke, nicht.«

»Aber an diesem Tag wurdest du zu einer?«

Hannah spürte, dass sie allmählich wieder ungehalten wurde.

»Und eigentlich geschah das nicht an diesem Tag«, fuhr Casey fort. »Oder in einer bestimmten Stunde. Es gab vielmehr einen *Moment*, an dem du von einer Person, die überall zu Fuß hinging, zu einer Person wurdest, die eine Fahrradfahrerin war.«

»Wahrscheinlich«, murmelte Hannah. »Ich meine, wenn man einmal weiß, was man tut, dann weiß man eben, was man tut.«

»Und wer hat für dich entschieden, dass du eine Fahrradfahrerin sein würdest?«

Hannah blickte etwas genervt drein. »Ich selbst.«

Casey erwiderte einen Moment lang nichts darauf, sondern betrachtete lediglich die Speisekarte.

Hannah sah ebenfalls dorthin. Erneut veränderte sich die erste Frage von »Wer bist du?« zu »Wer bin ich?«.

Casey beugte sich leicht nach vorne. »In jedem Moment treffen wir Entscheidungen darüber, wer wir sind. Und so wie du zur Fahrradfahrerin wurdest, können wir innerhalb eines Moments eine ziemlich andere Person werden, als wir es noch einen Augenblick zuvor waren.«

Hannah antwortete nicht sofort. »Das stimmt wahrscheinlich«, sagte sie schließlich. »Aber das war keine große Sache. Ich bin nur eine Radfahrerin geworden.«

Hannah wusste nicht, warum, aber ihre Gedanken wanderten blitzschnell zu der Situation zurück, als sie auf der Betonfläche hinter dem Café an ihrem Fahrrad gearbeitet hatte. Und sie erinnerte sich daran, was Emma gesagt hatte.

*Jeder Experte hat einmal an einem Punkt angefangen, an dem er noch nichts darüber wusste, worin er ein Experte wurde.*

Casey betrachtete erneut die Speisekarte.

Hannah folgte ihrem Blick wieder. Dieses Mal wurden ihre Augen von der zweiten Frage angezogen.

*Was wird dich ausmachen?*

**18** 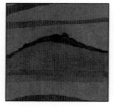 »EMeniv«, sagte Casey.

Hannah sah sie verwirrt an.

»EMeniv«, wiederholte Casey.

Hannah schüttelte etwas irritiert den Kopf. »Ich weiß nicht, was das bedeutet.«

»Entscheidende Momente existieren nicht isoliert voneinander«, erwiderte Casey. »Kurz: EMeniv.«

»Ich weiß auch nicht, was das bedeutet.«

»Aus meiner Sicht gibt es zwei mögliche Antworten darauf, wie das Leben funktioniert«, begann Casey zu erklären. »Möglichkeit eins: Unsere Eltern hatten Sex, neun Monate später wurden wir geboren, dann leben wir unser Leben, das statistisch gesehen etwa 28 900 Tage dauert, und schließlich sterben wir.

Danach kommt nichts mehr, und davor war ebenfalls rein gar nichts. Und es gibt tatsächlich keinen tieferen Sinn, warum wir hier sind, und keinen Zweck, der unser Leben mit dem Leben von irgendwelchen anderen Menschen verbindet oder der eine Verbindung zwischen unserem Leben und *irgendetwas* anderem schaffen würde. Unsere Anwesenheit ist lediglich das Resultat eines instinktgesteuerten biologischen Impulses.«

»Und was wäre die zweite Möglichkeit?«, fragte Hannah. »Denn die erste klingt ziemlich deprimierend.«

Casey schmunzelte. »Option Nummer zwei lautet: Wir waren etwas, bevor wir geboren wurden. Eine Seele, ein Geist, eine Energie … irgendetwas. Wir verleben unsere 28 900 Tage, und wenn unser Körper stirbt, werden wir wieder zu dem, was wir vorher waren, was auch immer das gewesen sein mag. Das Leben ist lediglich ein kurzer Zwischenstopp auf dem Weg. So, als würden wir einen Ausflug machen.«

»Und welche von beiden Versionen stimmt?«

»Das muss jeder von uns für sich selbst herausfinden«, antwortete Casey. »Doch bevor du darüber nachdenkst, möchte ich dich etwas fragen: Wenn Möglichkeit eins zutrifft, welches Gefühl gibt dir das?«

Hannah überlegte einen Augenblick. »Wenn dies alles sein soll, kann ich ebenso gut mutig sein und meine Erfahrungen maximieren. Denn wenn ich das Leben, das ich mir wünsche, jetzt nicht führe, werde ich nie eine zweite Chance bekommen.«

Casey nickte. »Und wenn die zweite Möglichkeit tatsächlich zuträfe?«

Hannah dachte erneut nach. »Angesichts eines solchen Szenarios könnte ich ebenfalls mutig sein. Ich würde schließlich nicht ohne Fallschirm aus einem Flugzeug springen. Aber wenn dieses Leben hier nur ein Teil der gesamten Geschichte ist, könnte ich ebenso gut das Leben führen, das ich mir wünsche, und damit aufhören, solche Angst zu haben.«

Casey nickte schweigend.

»So habe ich eigentlich noch nie über das Leben nachgedacht«, sagte Hannah nach einer Weile. »Aber inwiefern spielt EMeniv dabei eine Rolle?«

»Nun, wenn Möglichkeit zwei zutrifft, dann ist unser Leben nicht nur das Resultat eines Zufalls«, erklärte Casey. »Dann ist etwas Größeres im Gange, und die Dinge haben eine gewisse Ordnung und sind miteinander verbunden. Das bedeutet, alles, was wir bisher erlebt haben, alles, was wir im Moment erleben, und alles, was wir in der Zukunft erleben werden, geschieht nicht allein aufgrund unserer Entscheidungen, sondern auch aufgrund der Art und Weise, wie unsere Seele mit allem anderen interagiert.

All unsere entscheidenden Momente – deine, meine, die von Max und Emma – existieren nicht isoliert voneinander. Sie geschehen aus einem Grund.«

Hannah dachte darüber nach, was Max zuvor gesagt hatte. Dass ihr Leben zu Hause sie gelehrt hätte, unabhängig zu sein und sich auf sich selbst zu verlassen.

»Eigenschaften, die sehr hilfreich sein können, je nachdem, welches Leben du führen möchtest und welche Entscheidungen du infolgedessen triffst«, warf Casey ein.

»Wie hat sie das gemacht?«, fragte Hannah sich. »Woher weiß sie, was ich denke?«

Nach einer kurzen Pause fügte Casey hinzu: »Stell dir vor, jede Herausforderung in unserem Leben hätte das Potenzial, eine riesige Mauer zu sein, die wir nicht überwinden können. Und aus diesem Grund würden wir nie die Dinge tun, die wir gerne tun möchten. Und nun stell dir vor, die Herausforderungen würden zu Katapulten werden, die uns mit großer Kraft in das Leben hineinbefördern, von dem wir träumen. Jedes positive Ereignis nährt entweder unsere Selbstherrlichkeit und unser Ego, oder es bietet uns eine Chance, dankbar und großzügig zu sein.« Casey hielt erneut inne. »Innerhalb dieses Spektrums befinden sich zahllose Möglichkeiten für unser Leben.«

»Okay. Vielleicht sind unsere entscheidenden Momente nicht vollkommen zufällig«, überlegte Hannah. »Diese Vorstellung kann ich nachvollziehen. Aber …«

Bevor sie Zeit hatte, weiter darüber nachzudenken, sah Casey abermals auf die Speisekarte, die auf dem Tisch lag.

*Was wird dich ausmachen?*

Hannah las die Frage ebenfalls. »Mein zukünftiges Leben muss nicht meinem jetzigen Leben entsprechen. Geht es darum? Ich muss nicht im selben Haus oder in derselben Stadt leben. Ich könnte woanders hinziehen.«

»Zum Teil geht es darum«, antwortete Casey. »Es reicht aber noch viel tiefer. Was wird dich emotional gesehen ausmachen? Was wird dich finanziell betrachtet ausmachen? Wie wirst du mit anderen Menschen umgehen? Wie wirst du die Welt betrachten? Wie offen wirst du gegenüber neuen Ideen sein? Wie sehr wirst du an dein eigenes Potenzial glauben und deinem Gefühl vertrauen? Wie wird die Liebe aussehen, die du anderen Menschen und dir selbst entgegenbringst …?«

»Mein Fahrrad ist blau, weil ich es ausgewählt habe«, murmelte Hannah leise. Kaum hatte sie diese Worte ausgesprochen, spürte sie wieder die gleiche Energiewelle in ihrem Körper wie zuvor.

»Und alle Elemente deiner Geschichte – die zur Folge hatten, dass dies das Fahrrad ist, das dir gehört, und dass du auf einer gesperrten Straße damit gefahren bist und in die Glasscherben auf dieser Straße geraten bist, die bei diesem blauen Fahrrad einen Platten verursacht haben – sie alle haben zum jetzigen Moment geführt«, erklärte Casey.

»Der nicht isoliert von den anderen existiert.«

Casey nickte langsam. »Wenn wir die entscheidenden Momente in unserem Leben als Katalysatoren betrachten, die miteinander verbunden sind, und uns bewusst machen, auf welche Weise sich unsere anschließenden Entscheidungen darauf auswirken, wie wir unser Leben führen, dann verändert das ...«

»Alles«, warf Hannah leise ein.

 **19** Mike und Emma gingen zu der Betonplatte hinter dem Café. Max räumte dort gerade sein Werkzeug auf. Das letzte Restlicht verblasste allmählich am Himmel.

Max sah auf, als die anderen beiden näher kamen. »Wie geht es ihr?«, fragte er Emma.

»Ganz gut, glaube ich. Sie unterhält sich gerade mit Casey.«

»Das ist gut.« Max wischte den Ringschlüssel ab und legte ihn sorgfältig in seinen Werkzeugkasten. »Zu Hause hat sie es offenbar ziemlich schwer«, fügte er nach einem Augenblick hinzu.

Mike nickte.

»Ich glaube, sie hat kehrtgemacht, weil sie einen Anruf von zu Hause bekommen hat. Ich habe so eine Ahnung, dass sie sonst einfach weitergefahren wäre.«

Max machte eine Pause. »Sie scheint ein großartiges Mädchen zu sein. Ich wünschte, sie hätte es besser. Aber die Wahrheit ist, dass eben nicht alle Menschen nett sind. Nicht einmal annähernd. So ist das Leben nun mal.«

»Wir versuchen, dafür zu sorgen, dass alle hier freundlich sind«, sagte Mike schmunzelnd.

»Ja, und das beinhaltet eine ziemlich gute Lehre, die

ihr hoffentlich jemand vermitteln wird«, antwortete Max. »Wenn wir uns mit ein paar guten Leuten umgeben, ist es viel leichter, mit denjenigen fertigzuwerden, die nicht freundlich sind.«

Er sah zum Café und dann weiter in die Ferne. »Wenn wir denken, draußen in der Welt würde es jeder gut mit uns meinen, werden wir bitter enttäuscht werden. Ich weiß nicht, wie ihr beide das seht, aber meiner Erfahrung nach sind etwa gut fünf Prozent der Leute extrem rücksichtslos. Andere Menschen sind ihnen egal. Sie rammen anderen zwar vielleicht kein Messer in den Rücken, aber sie tun gemeine Dinge. Sie haben sich einfach entschieden, so jemand zu sein.«

Mike nickte. »Was würdest du Hannah also sagen?«

Max dachte einen Moment lang nach. »Ich würde ihr von den fünf Prozent erzählen. Ich würde ihr außerdem erklären, dass dies nicht so schlimm ist, wie es klingt, weil Menschen gerne in Gesellschaft von Leuten mit einer ähnlichen Gesinnung sind. Wenn wir es vermeiden, Zeit mit einem schlechten Menschen zu verbringen, vermeiden wir automatisch die Gesellschaft von mehreren solchen Menschen. Und das Gleiche gilt für die netteren Leute. Wenn wir ein paar finden, mit denen wir uns gerne umgeben, mögen wir wahrscheinlich auch die Menschen, mit denen sie Zeit verbringen.«

»In meinem Fall war es jedenfalls so«, bestätigte Emma.

»Sollte sie noch etwas anderes wissen?«, fragte Mike.

Max schwieg eine Weile und dachte an die Zeit, als er in Hannahs Alter gewesen war. »Vielleicht sollte sie das Schnellvorlauf-Spiel kennen.«

Mike sah ihn fragend an. »Ich glaube, das sagt mir nichts, Max.«

Dieser erwiderte achselzuckend: »Während der Zeit, als ich aufgewachsen bin, war mein Leben nicht so toll, das wisst ihr ja aus Gesprächen, die wir bei anderen Gelegenheiten hier geführt haben. In einer solchen Situation kann man leicht die Hoffnung verlieren. Wenn es uns miserabel geht, sehen wir keinen gangbaren Weg, um unsere Lage weniger miserabel zu machen. Wir lassen uns leicht zu einem dummen Verhalten verleiten. Treffen ein paar falsche Entscheidungen und tun Dinge, die große Konsequenzen nach sich ziehen.«

Er machte eine kurze Pause. »Als ich fünfzehn war, bin ich aus dem Waisenhaus fortgelaufen, in dem ich untergebracht war. Damals galt man in diesem Alter mehr oder weniger als erwachsen. Ich glaubte nicht, dass jemand nach mir suchen würde, und ich bezweifle, dass irgendjemand es je getan hat. Ich trampte zwei Tage lang, und wenn jemand mich mitnahm, fuhr ich immer so weit wie möglich mit. Ich schlief, wo immer ich einen Platz zum Übernachten fand. Ich wollte einfach weit weg kommen.

Gegen Ende des zweiten Tags regnete es sehr stark. Es schüttete nur so, und ich konnte mich nirgendwo unterstellen. Also lief ich auf der Straße immer weiter, doch ein Auto nach dem anderen fuhr an mir vorbei.« Er zuckte erneut mit den Achseln. »Ich kann es den Leuten nicht verdenken. Ich muss schrecklich abgerissen ausgesehen haben. Ein Teenager, der nichts dabeihatte als die Klamotten, die er am Leib trug, und der irgendwo mitten in der Pampa herumstromerte.

Schließlich lief ich den ganzen langen Weg bis zu einem kleinen Ort. Als ich dort ankam, war ich völlig durchnässt, hungrig, hundemüde und wutgeladen. Ich war wütend auf alle, die auf der Straße an mir vorbeigefahren waren, wütend auf alle, die ein besseres Leben hatten als ich, wütend wegen meiner Situation ... einfach wütend.

Jedenfalls hatte ich kein Geld und keinen Platz, wo ich bleiben konnte. Also lief ich einfach ziellos weiter und wurde immer wütender. Schließlich stieß ich auf einen kleinen Lebensmittelladen und ging hinein. Als ich durch die Gänge lief und all die Lebensmittel sah, die ich mir nicht leisten konnte, als ich die Wärme spürte, die ich schon bald wieder hinter mir lassen musste, brannte innerlich eine Sicherung bei mir durch.«

»Was hast du gemacht?«, fragte Emma.

»Ich habe beschlossen, etwas zum Essen zu stehlen und wegzurennen«, erwiderte Max. »Die einzige Person in dem Laden war ein alter Mann an der Kasse. Ich wusste, dass er nicht schnell genug aufstehen könnte, um mich zu schnappen. Wenn ich die richtigen Dinge auswählte, so meine Überlegung, würde ich genug in meine Taschen stecken und mit den Händen tragen können, um ausreichend Essen für ein paar Tage zu haben. Also begann ich mich zu bedienen. Langsam ging ich durch die Reihen und suchte die Produkte sorgfältig aus.«

»Und dann bist du losgerannt?«, fragte Mike.

Max schüttelte den Kopf. »Nein. Davor schlenderte ich zum letzten Gang, um den alten Mann noch einmal genau zu beobachten. Er saß einfach dort und las seine

Zeitung. Als wüsste er nicht einmal, dass ich da war. Also schlich ich mich vorsichtig zum mittleren Gang zurück, da ich von dort aus freie Bahn bis zur Tür haben würde. Dann näherte ich mich langsam dem Punkt, an dem der Gang fast zu Ende war. Kurz bevor der alte Mann mich sehen konnte. Und *dann* flitzte ich blitzschnell zur Tür.«

»Du hast das Essen also gestohlen?«, fragte Emma überrascht.

»Nicht wirklich«, erwiderte Max und schüttelte den Kopf. »Also, ich hatte es absolut vor. Ich hatte eine innere Distanz aufgebaut, sodass mir alles egal war. Ich hatte mir innerlich zurechtgelegt, warum es in Ordnung war, etwas zu tun, das ganz und gar nicht okay war. Etwas, das tatsächlich nicht dem entsprach, wer ich war oder sein wollte.«

»Und was geschah dann?«, fragte Mike mit einem leichten Schmunzeln.

»Tja, es handelte sich um eine Tür, die sich nach außen aufdrücken ließ«, antwortete Max. »Daher hatte ich den Plan, in vollem Tempo dagegenzurennen, um sie zu öffnen und weiterzulaufen.« Er schüttelte erneut den Kopf. »Allerdings stellte sich heraus, dass der alte Mann viel cleverer und schneller war, als ich es ihm zugetraut hatte. Als ich nach unten gesehen hatte, um sorgfältig zu überprüfen, ob ich all die Dinge, die ich stehlen wollte, gut in meinen Taschen verstaut hatte, war er offenbar aufgestanden und hatte die Tür abgesperrt. Dann hatte er sich wieder hingesetzt und so getan, als würde er seine Zeitung lesen.«

**20**  Mike schmunzelte erneut. »Wie stark bist du gegen die Tür geknallt?«

»Tja, so heftig, dass ich flach auf dem Rücken landete. Schließlich bin ich mit voller Wucht dagegengerannt, in der Erwartung, dass sie sich weit öffnen würde. Allerdings hat sie kein bisschen nachgegeben.«

»Und was hat der alte Mann gemacht?«, wollte Emma wissen.

»Nun, er kam zu mir und schaute einfach von oben auf mich runter. Überall verstreut lagen Kekse, Salzstangen, Mini-Salamis und alle möglichen anderen Dinge herum, die aus meinen Händen und Taschen gepurzelt waren. Mein Kopf pochte, weil ich beim Hinfallen damit auf den Boden geknallt war. Und der Mann stand einfach da und sagte nichts.

Ich lag also dort und wusste nicht, was ich tun sollte. Und der Mann stand seelenruhig weiter da und schwieg. Nach gefühlt zehn Minuten sagte er schließlich: »Wahrscheinlich hast du das Schnellvorlauf-Spiel bei dieser Aktion nicht gespielt, oder?«

»Wie geht das Schnellvorlauf-Spiel?«, erkundigte sich Emma.

»Tja, das habe ich mich auch gefragt, als ich dort am

Boden lag und mit pochendem Schädel zu dem Mann hochsah. An diesem neuen Tiefpunkt in meinem Leben stellte ich ihm genau diese Frage.

Und was er mir daraufhin antwortete, hat mein Leben verändert. Ich habe die Methode nicht immer richtig genutzt und sie nicht immer zu einem geeigneten Zeitpunkt eingesetzt – wobei es mir viel besser gelungen ist, seitdem ich dieses Café hier entdeckt habe. Aber selbst damals hat sie mein Leben auf dramatische Weise verändert.«

Max machte eine Pause. »Der Mann erklärte mir Folgendes: Wenn ich mir einen Moment Zeit genommen hätte – während ich überlegt habe, ob ich etwas stehlen sollte oder nicht –, um gedanklich vorzuspulen, was das dann wahrscheinlich bedeuten und wozu es führen würde, wäre ich vielleicht zu einer anderen Entscheidung gelangt. Mir wäre sicherlich klar geworden, dass die Ortschaft ziemlich klein war und es daher ziemlich unwahrscheinlich war, dass ich etwas stehlen, mich irgendwo verstecken und unbemerkt die Stadt verlassen konnte, ohne dass irgendjemand etwas davon mitbekommen würde.

Viel wahrscheinlicher war, dass der alte Mann die Polizei rufen würde, nachdem ich zur Tür hinausgelaufen war, und dass irgendjemand sehen würde, wie ich irgendwo entlanglief oder versuchte, per Anhalter zu fahren, und ich gefasst würde. Und das würde bedeuten, von diesem Moment an ein Krimineller zu sein. Es würde in meinem polizeilichen Führungszeugnis stehen, und das würde einen Einfluss darauf haben, wie andere Menschen mit mir umgingen, welche Jobs ich bekommen konnte und wo ich in der Zukunft willkommen wäre und leben könnte. Obwohl es mir damals wie eine kleine Entscheidung vorkam, war es tatsächlich eine ziemlich gewichtige. Der Mann verdeutlichte mir, dass andere Menschen nicht sehr erpicht darauf sind, Kriminelle einzustellen oder ihnen eine Wohnung zu vermieten. Daher hätte es bedeutet, dass mein Leben *erheblich* schwieriger geworden wäre, und zwar für einen langen Zeitraum. Hätte ich das Schnellvorlauf-Spiel gemacht und diese Dinge durchdacht, hätte ich wahrscheinlich versucht, eine andere Lösung für mein Problem zu finden, dass ich nichts zu essen hatte.«

Max hielt kurz inne. »Dann half der Mann mir beim Aufstehen und forderte mich auf, all die Dinge, die ich hatte stehlen wollen, wieder in meinen Taschen zu verstauen. Anschließend ging er mit mir ans Ende des mittleren Gangs. Als ich so dort stand und mir *äußerst* dumm vorkam, schlug er mir vor, mir einen Moment Zeit zu nehmen, um das Schnellvorlauf-Spiel einmal auszuprobieren. Er selbst kehrte zum vorderen Teil des Ladens zurück, setzte sich wieder hinter die Kasse und begann seine Zeitung zu lesen.«

»Was hast du gemacht?«, fragte Emma gespannt.

»Mein erster Impuls war, zur Tür zu flitzen und einfach weiterzurennen. Mir war bewusst, dass an dem, was er gesagt hatte, etwas Wahres dran war. Doch je mehr ich darüber nachdachte, desto dümmer kam ich mir vor, und das machte mich nur noch wütender. Aber um ehrlich zu sein, ich war mir nicht sicher, ob er die Tür wieder aufgesperrt hatte, und ich wollte nicht wieder flach auf dem Rücken landen und erneut dumm dastehen.

Nachdem ich ihm ein paar Minuten beim Lesen zugeschaut hatte, begann ich also, durch die Gänge zu gehen und nachzudenken. Eine Weile lang befeuerte ich weiterhin meine Wut. Die Gedanken in meinem Kopf kreisten intensiv um eine Geschichte, die ich mir detailreich zusammenreimte – darüber, dass er keine Ahnung hatte, wie schwierig mein Leben war. Dass er mir gegenüber nicht fair war und dass das gesamte System ungerecht war. Doch schließlich hatte ich keine Lust mehr herumzulaufen, und mir wurde klar, dass ich in gewisser Weise verstand, worüber er gesprochen hatte.«

Max hielt kurz inne, um sich zu erinnern. »Im Waisenhaus gab es ein altes Schachspiel, das jemand einmal gespendet hatte. Es war zwar ziemlich ramponiert, und einige Figuren fehlten, aber wir verwendeten stattdessen andere kleine Objekte und begnügten uns damit, wie es war. Auf der Innenseite der Schachtel standen ein paar Grundregeln, und um es auszuprobieren und uns die Langeweile zu vertreiben, lernten wir Schach spielen.

Wahrscheinlich haben wir ziemlich schlecht gespielt. Aber dennoch erkannten wir recht schnell, dass es nicht nur auf den Zug ankommt, den man als Nächstes machen möchte. Er ist natürlich wichtig. Aber es ist auch wichtig zu überlegen, wozu dieser Zug führen wird. Welche fünf Dinge werden infolge dieses Spielzugs wahrscheinlich passieren?«

Max dachte erneut nach. »Im Waisenhaus hatten wir Unterricht in einigen elementaren Schulfächern, und in den meisten war ich nicht sehr gut. Wahrscheinlich, weil ich mich nicht besonders bemühte oder weil ich überhaupt keinen Sinn darin sah. Aber durch das

Schachspiel lernte ich, mir im Geist vorzustellen, auf welche Weise der andere Spieler wahrscheinlich auf einen bestimmten Zug von mir reagieren würde. Das führte wiederum dazu, dass ich einen anderen Zug machte, um im Spiel zu überleben.«

Max sinnierte darüber, wie brutal seine Erfahrungen im Waisenhaus gewesen waren. »An dem Ort, wo ich lebte, war es sehr nützlich, diese Fähigkeit zu haben. Ohne diese hätte ich das Ganze vielleicht nicht überstanden. Sie half mir, Dinge anders einzuschätzen. Ich sollte diesen Flur lieber nicht entlanggehen, denn dort hängt ein übler Typ ab. Und wenn ich mich mit ihm anlege, werden seine beiden Freunde zur Tür herauskommen und mich gehörig in die Mangel nehmen ...«

Max blickte zu Mike und Emma. »Ich denke, ich habe gelernt, Konsequenzen zu vermeiden, die ich nicht wollte. Und in gewisser Weise spielte ich dadurch das Schnellvorlauf-Spiel, über das der alte Mann gesprochen hatte.«

»Und wie ist die Geschichte in dem Laden ausgegangen?«, wollte Emma wissen.

Max zuckte mit den Achseln. »Irgendwann hatte ich keine Lust mehr, weiter herumzulaufen. Also legte ich alles wieder zurück und ging auf die Eingangstür zu, um den Laden zu verlassen. Die ganze Zeit hatte der alte Mann kein Wort mit mir gewechselt. Aber als ich die Tür erreichte, sagte er: ›Du spielst es immer noch nicht.‹«

Mike schmunzelte.

»Ja, ich weiß«, murmelte Max. »Von außen betrachtet ist es ziemlich offensichtlich. Aber damals war es das für mich keineswegs.«

»Wie hast du reagiert?«, fragte Emma.

»Nun ja, zunächst wurde ich wieder sehr wütend. Aber ich wollte nicht, dass er mich noch einmal aufforderte, meine Taschen zu füllen und mich in den hinteren Bereich des Ladens zu stellen. Also blieb ich einfach dort stehen. Daraufhin sagte er: ›Vielleicht solltest du stattdessen das Schnellrücklauf-Spiel machen, da der Schnellvorlauf dir nicht so recht einleuchtet.‹ Als ich nichts darauf antwortete, kam er hinter der Theke hervor und sah mich lange an.

›Du möchtest etwas zu essen, stimmts?‹, fragte er mich. ›Die meisten Menschen bekommen ihr Essen, indem sie in irgendeiner Weise einen Mehrwert schaffen, für den sie dann bezahlt werden. Daraufhin nehmen sie das Geld und kaufen sich damit etwas. Und somit haben sie dann etwas zu essen. Lass diese Geschichte nun rückwärts ablaufen. Damit du etwas zu essen hast, musst du Essen kaufen. Um das zu tun, brauchst du Geld, und das bedeutet, du musst einen Mehrwert schaffen. Verstehst du?‹ Ich sagte ihm, dass ich es kapiert hätte«, erklärte Max. »Und das hatte ich tatsächlich. An diesem Punkt schien es so offensichtlich zu sein.«

»Viele Dinge sind offensichtlich, sobald man sie weiß«, bemerkte Mike.

Max nickte. »Richtig. Und bis dahin weiß man sie einfach *noch nicht*. Aber ich verstand, was der alte Mann mir gesagt hatte. Und so ähnlich, wie ich das alte Schachbrett betrachtet hatte, sah ich mich nun in gewisser Weise in dem Lebensmittelladen um, da ich herausfinden wollte, welches Verhalten richtig war und dazu führen würde, dass ich etwas zu essen bekam.

An diesem Abend sowie an den nächsten beiden wischte ich den Boden und füllte die Regale auf. Im Gegenzug bekam ich etwas zu essen und einen Schlafplatz im Lagerraum hinten im Laden. Wichtiger war jedoch, dass ich einen ersten Eindruck davon bekam, wie sich das Schnellvorlauf- und das Schnellrücklauf-Spiel in meinem Leben anwenden ließen.«

Max deutete mit dem Kopf zum Café. »Das Mädchen dort drinnen ist schlau. Das merkt man. Ich habe das Gefühl, dass ich es dem alten Mann, der mir geholfen hat, schuldig bin, ihr zu helfen. Denn es geht nicht nur darum, ihr eine Mahlzeit zu besorgen. Sie könnte wirklich etwas Besonderes aus ihrem Leben machen.«

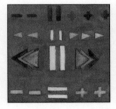 **21**   Mike und Emma waren in der Küche. Mike hatte Max angeboten, ihm etwas zu essen zu machen, und dieser hatte das Angebot angenommen. Nun bereiteten die beiden ein gegrilltes Putensandwich für ihn vor, während er sich die Hände wusch.

»Die Geschichte, die Max uns erzählt hat, war wirklich beeindruckend«, sagte Emma, während sie ein paar Zutaten für das Sandwich zusammensuchte.

Mike nickte.

Sie machte eine kurze Pause und fügte dann hinzu: »Etwas über sein Leben zu erfahren macht mich manchmal traurig.«

»Ja, er hatte es nicht leicht«, stimmte Mike ihr zu.

»Das scheint irgendwie nicht fair zu sein.«

»Ich weiß.«

Emma arbeitete schweigend weiter. »EMeniv?«, fragte sie schließlich.

»Manchmal ist es schwer zu verstehen, wie alles zusammenpasst. Aber vielleicht hat alles, was er durchgemacht hat, dazu geführt, dass er diese Geschichte heute erzählt hat. Und vielleicht wird er oder einer von uns sie Hannah irgendwann erzählen. Und so wird sie die Möglichkeit haben, sie zum Beispiel beim Lernen für sich zu nutzen, wenn sie mal keine Lust hat, ein Projekt abzuschließen. Oder wenn es sie reizt, sich auf eine Beziehung einzulassen, von der sie weiß, dass diese ihr nicht guttun würde.

Vielleicht erinnert sie sich auch mitten in einer hitzigen, emotionsgeladenen Diskussion daran, wieder etwas runterzukommen und das Schnellvorlauf-Spiel zu machen. Trotz ihrer Wut könnte sie innehalten und erkennen, dass ihre nächste Bemerkung oder das Nächste, was sie tut, zu einem von zwei sehr unterschiedlichen Ergebnissen führen kann.«

Mike zuckte mit den Achseln. »Ich wünschte, ich könnte dir sagen, dass ich weiß, wie alles funktioniert, Coconut. Ich sehe die Verbindungen. Das ging mir schon immer so, seit ich hier im Café bin.

Ich habe erkannt, dass ein Leben mit anderen verknüpft ist. Dass wir alle Figuren im Theaterstück des Lebens der anderen sind und darin verschiedene Rollen spielen, damit wir uns auf unserer eigenen Reise weiterentwickeln und anderen dabei helfen können, auf ihrem Weg zu wachsen. Aber ich kann nicht behaupten, dass ich vollkommen verstanden hätte, wie es funktioniert.«

»Ich mag die Bösewichte einfach nicht«, sagte Emma.

Mike beugte sich zu ihr hinüber und legte seinen Arm um sie. Dann zog er ihre Schulter an seine heran und gab ihr einen Kuss auf den Kopf. »Und das liebe ich so an dir, Coconut. Wie sehr du dich um andere kümmerst und auf sie achtest. Und vielleicht werden wir eines Tages einen Punkt erreichen, an dem es keine Bösewichte mehr gibt.«

Mike machte eine Pause. »Oder vielleicht gehört es aus irgendeinem Grund zur Art und Weise dazu, wie das gesamte System angelegt ist.«

 **22** Emma kam mit dem Essen von Max zur Küchentür heraus. Sie warf einen Blick zu Hannahs Tisch und sah, dass sie sich immer noch mit Casey unterhielt. Nachdem sie Max das Abendessen gebracht hatte, ging sie zu den beiden hinüber.

»Perfektes Timing«, verkündete Casey und strahlte sie an.

Emma blickte zu Hannah. Sie wirkte ruhig. Entspannter als zu irgendeinem anderen Moment an diesem Abend.

»Hannah hat mir gerade von eurem Gespräch über das instinktgesteuerte Gehirn erzählt«, berichtete Casey. »Ich habe ihr erklärt, dass es hin und wieder die Ursache für das Verhalten mancher Jungs ist.«

Hannah errötete etwas.

Casey rutschte auf ihrer Sitzbank etwas zur Seite und klopfte einladend neben sich, um Emma aufzufordern, sich zu setzen. Als diese Platz nahm, fügte Casey hinzu: »Aber wie ich eben sagte, verhalten sich nicht *alle* Jungs so, stimmts? Das meine ich damit, wenn ich sage, dass wir eine Wahl haben. Unterschiedliche Menschen verhalten sich unterschiedlich, das ist ihre Entscheidung. Davon abgesehen«, fuhr Casey fort, »sind es denn nur die Jungs, die manchmal vom instinktgesteuerten Gehirn beherrscht werden?«

Hannah lächelte etwas verlegen, antwortete aber nicht.

Casey stupste Emma mit der Schulter an. »Diese junge Dame hier würde als Erste zugeben, dass es da einen bestimmten jungen Mann an ihrem Surfstrand gibt. Er hat ein umwerfendes Lächeln und außerdem einen fantastischen Sixpack. Und wenn sie sieht, wie er sein Surfboard trägt und den Wellen entgegengeht, wird ein bestimmter Programmcode in ihrem Kopf einfach aktiviert …«

Emma fächelte sich mit der Hand etwas Luft zu, als wäre es im Café plötzlich sehr heiß geworden. »Ich gebe es nur ungern zu«, räumte sie schmunzelnd ein, »aber da ist schon was Wahres dran.«

»Es ist stärker als du«, sagte Hannah lachend.

»Ich sage nicht, dass ich ihn anstarre oder zu ihm renne und mich ihm in die Arme werfe«, erwiderte Emma lächelnd. »Das ist der Entscheidungsaspekt. Aber ich bemerke durchaus, dass mein Gehirn ihn wahrnimmt. Mir ist bewusst, dass der Code des instinktgesteuerten Gehirns aktiv wird.«

»Versucht er, dich dazu zu bringen, dich fortzupflanzen, um für den Erhalt der Spezies zu sorgen?«, frotzelte Hannah.

Emma nickte schmunzelnd. »Mit Sicherheit.«

»Wir wollten gerade zu einem Thema kommen, bei dem du eine großartige Expertin bist«, sagte Casey an Emma gewandt.

»Worum gehts?«

»Um das Thema der angenehmen Beschäftigung«, antwortete Casey.

»Tja, das hat sich im Laufe der Jahre ständig weiterentwickelt«, stellte Emma fest.

»Was meint ihr mit ›angenehmer Beschäftigung‹?«, fragte Hannah.

Emma deutete mit dem Kopf auf Hannahs Handy, das auf dem Tisch lag. »Sind deine Freunde viel mit ihren Handys zugange?«

Hannah nickte. »Ständig.«

»Und wie sieht es bei dir aus?«

»Ich beschäftige mich damit, wenn mir langweilig ist. Es ist ein Zeitvertreib. Warum fragst du?«

»Weißt du, warum diese Dinger eine so starke Anziehungskraft auf uns ausüben?«

Hannah zuckte mit den Schultern.

»Weil es unserem instinktgesteuerten Gehirn lieber ist, *angenehm beschäftigt* zu sein, als sich zu langweilen.«

Hannah blickte verwirrt drein.

»Angenehm beschäftigt zu sein ist ziemlich genau das, wonach es klingt«, erklärte Emma. »Dabei machen wir eigentlich nichts Wichtiges. Und wir erleben nichts Besonderes. Aber uns ist auch nicht langweilig. Wir sind lediglich *angenehm beschäftigt*.«

»Und das ist auch in Ordnung«, fügte Casey hinzu. »Manchmal ist es schön, angenehm beschäftigt zu sein.« Dann beugte sie sich etwas nach vorne und sagte mit leiser, geheimnisvoller Stimme: »Aber es gibt eine Welt, die uns etwas viel Spektakuläreres bietet als lediglich eine angenehme Beschäftigung.«

 **23** »Angenehme Beschäftigung, also«, sagte Max. »So habe ich das noch nie gesehen.«

Mike nickte. Er saß Max gegenüber, um sich ein bisschen zu entspannen, während Max sein Putensandwich aß.

Mike war am Tisch von Hannah, Casey und Emma vorbeigekommen, als er Max einen Kaffee gebracht hatte. Im Vorübergehen hatte er gehört, worüber sie sprachen. Das hatte er Max erzählt, als dieser sich erkundigt hatte, wie es Hannah so erging.

»Darüber habe ich mit Emma gesprochen, als sie etwa in Hannahs Alter war«, erklärte Mike.

Das Handy von Max lag auf dem Tisch, und Mike deutete mit dem Kopf darauf.

»Bevor diese Dinger zu einem solch wesentlichen Bestandteil unseres Lebens wurden, war es nicht so leicht, sich unverzüglich die Zeit zu vertreiben.« Er machte eine Pause. »Und in mancher Hinsicht hatte das meiner Meinung nach etwas Gutes.«

»Inwiefern?«, fragte Max.

»Nun, zum Teil war es sicherlich die Langeweile in meinem Leben, die mich dazu inspiriert hat, mir die Frage zu stellen, ob es im Leben eines Menschen nicht noch mehr gibt.« Er ließ den Blick eine Weile durch das Café schweifen. »Ich bin mir nicht sicher, ob ich hierhergekommen wäre, wenn ich ständig angenehm beschäftigt gewesen wäre.«

»Unzufriedenheit ist der erste Schritt zur Erleuchtung«, sagte Max. »Das hat Casey mich bei einem meiner ersten Besuche hier gelehrt.«

Mike nickte. »Genau. Ein berühmter buddhistischer Spruch. Ich glaube, da ist viel Wahres dran. Nicht, dass wir auf ewig gelangweilt dasitzen wollten, aber es bringt uns dazu, nach etwas Besserem zu suchen.«

Er deutete mit dem Kopf auf das Handy von Max. »Diese Dinger haben zwei Seiten. Darüber haben Emma und ich uns in unserem ersten Gespräch über dieses Thema unterhalten. Zweifellos können sie uns einen Zustand *angenehmer Beschäftigung* bescheren und damit eine etwas bessere Version des Lebens, als wenn uns langweilig wäre.

Eine solche Wahl kann sich ganz okay anfühlen, wenn wir jünger sind. Doch wenn die Jahre verstreichen, wird uns allmählich bewusst, dass die Minuten in unserem Leben ziemlich wertvoll sind. Wenn eine *angenehme Beschäftigung* also das Beste ist, was wir erreichen, kann das ziemlich enttäuschend sein.«

Mike hielt kurz inne. »Andererseits kann dieses kleine Gerät uns auf so vielfältige Art und Weise auf unserem Weg weiterhelfen. Wollen wir zum Beispiel lernen, ein meisterhafter Illusionist zu werden? Dann können wir einfach online gehen und uns Videos dazu ansehen.

Sind wir auf der Suche nach Inspirationen, wo man Kletterabenteuer am Fels erleben kann? Innerhalb von

Sekunden können wir fündig werden. Wollen wir eine Fremdsprache fließend sprechen lernen oder Tipps bekommen, wie wir Experten im Synchronsprechen werden, ein Baumhaus entwerfen oder ein Instrument spielen lernen …« Er zuckte mit den Achseln. »Es ist alles vorhanden.«

»Ja, das stimmt«, pflichtete Max ihm bei. »Ich kann dir nicht sagen, wie oft ich online nach Videos gesucht habe, wenn ich etwas reparieren wollte. Es fällt mir viel leichter, ein Video anzuschauen, als eine Anleitung zu lesen. Und bisher gab es immer mindestens ein halbes Dutzend Videos, die mir Schritt für Schritt dabei geholfen haben, das Problem zu lösen, mit dem ich gerade kämpfte.«

Mike nickte bestätigend. »Ja, und einige der besten Universitäten der Welt bieten ihre Seminare mittlerweile umsonst online an.«

»Tatsächlich?«, fragte Max überrascht.

»Dieses Medium bietet einen schier unbegrenzten Zugang zum Startpunkt von Träumen sowie Einblicke in verschiedene Wirklichkeiten und einen Zugriff auf Ressourcen«, fügte Mike hinzu.

»Ja, wahrscheinlich«, sagte Max. »Aber nur, wenn man es für diese Zwecke nutzt.«

**24**  »Stell dir vor, du bist an einem warmen, sonnigen Tag mit deinem Stand-up-Paddleboard im Wasser vor der Küste Neuseelands unterwegs«, sagte Emma. »Du blickst in einen kristallklaren majestätischen Ozean und kannst problemlos meterweit bis zum Grund schauen. Und plötzlich taucht ein Pinguin mitten unter deinem Board hindurch.«

»Hast du das erlebt?«, fragte Hannah erstaunt.

»Wie wäre es, in einer hellen Mondnacht eine ganze Reihe von winzig kleinen grünen Meeresschildkröten aus ihren Eiern schlüpfen zu sehen?«, fragte Casey. »Und dann fasziniert zu beobachten, wie die Meeresschildkrötenbabys auf den Ozean zusteuern.«

»Oder wie wäre es, an einem wunderschönen Morgen in Hawaii auf deinem Surfboard zu entspannen, bis du die perfekte Welle herankommen siehst? Und dann das Hochgefühl zu erleben, wenn du mit perfektem Timing paddelst, auf deinem Board in den Stand springst und eine der besten Wellen deines Lebens reitest«, fügte Emma strahlend hinzu.

»Habt ihr all das erlebt?«, staunte Emma und ließ ihren Blick zwischen beiden hin- und herwandern. »Ich kann mir nicht mal vorstellen, so was erleben zu können.«

»Unzufriedenheit ist die Überzeugung, dass dieser Moment anders sein sollte, als er ist«, fuhr Emma fort. »Das hat mein Dad mich gelehrt. Er hat mir auch erklärt, dass mein Geist die Unzufriedenheit nie bewusst wahrnehmen wird, wenn ich ständig *angenehm beschäftigt* bin. Und dass er daher nie intensiv nach etwas *Fantastischem* streben wird.«

»Ich möchte gerne etwas *Fantastisches* erleben«, stieß Hannah aufgeregt hervor. Kaum waren ihr die Worte über die Lippen gegangen, kamen ihr unversehens der Ort, an dem sie lebte, sowie die Menschen, mit denen sie zusammenwohnte, in den Sinn. Eine bedrückende Schwere überwältigte sie. »Ich wüsste allerdings nicht einmal, wo ich anfangen sollte«, murmelte sie mit resignierter Stimme.

»Nun, dafür gibt es einen Prozess. Aber er ist *sehr* komplex«, erwiderte Casey.

»Und wie funktioniert er?«, fragte Hannah zögernd.

Casey stupste Emma sanft an. »Möchtest du diese ehrenvolle Aufgabe vielleicht gerne übernehmen?«

»Okay«, antwortete Emma strahlend. »Stell dir vor, deine Version von etwas Fantastischem wäre, Skateboard fahren zu lernen. Der überaus komplexe Prozess besteht darin … eine Lehrerin zu finden, von ihr zu lernen, zu üben und dann dranzubleiben.«

»Das klingt nicht sehr kompliziert«, meinte Hannah.

»Nun, vielleicht ist das so, wenn es ums Skateboardfahren geht.« Casey grinste. »Lass mich dir ein anderes Beispiel geben. Wenn du eine meisterhafte Köchin werden möchtest, sähen die Schritte folgendermaßen aus: Finde einen Lehrer, lerne von ihm, übe und bleibe dran.«

»Aber …«, begann Hannah.

»Und beim Surfen ist es *wirklich* komplex«, fuhr Emma fort. »Um das zu lernen, sieht der Prozess so aus …«

»Lass mich raten«, unterbrach sie Hannah. »Finde einen Lehrer, lerne von ihm, übe und bleibe dran?«

Emma nickte.

»Das klingt so unglaublich einfach«, sagte Hannah.

Casey nickte. »Das kann es sein.« Sie machte eine Pause. »Allerdings können Hindernisse auf dem Weg es auch unmöglich machen.«

Hannah empfand wieder ein bedrückendes Gefühl. Sie wusste, dass es nicht so leicht sein konnte. »Wie sehen die Hindernisse aus?«

»Wie kommt es, dass du mit deinem Fahrrad nicht nur im Kreis fährst?«, fragte Casey.

Hannah sah sie verwirrt an. Was hatte das mit dem Rest zu tun?

»Wie kommt es, dass du beim Fahrradfahren nicht stundenlang oder sogar tagelang unterwegs bist?«, fragte Casey weiter.

»Weil ich irgendwohin fahre …«, antwortete Hannah gedehnt.

»Wohin genau?«

»Wo immer ich an diesem Tag beschließe hinzufahren …«, erwiderte Hannah immer noch etwas irritiert.

»Dann weißt du bereits, wie du das erste Hindernis auf dem Weg zu etwas Fantastischem überwinden kannst«, ergriff Emma wieder das Wort.

»Wie meinst du das?«, fragte Hannah. »Ich steige auf mein Fahrrad, fahre irgendwohin, und dann kehre ich wieder nach Hause zurück. Glaubt mir, das ist nicht gerade ein Weg zu etwas Fantastischem.«

Casey schwieg und blickte lediglich auf die Speisekarte, die bei Hannah lag. Als Hannah ihrem Blick folgte, wurden ihre Augen von der zweiten Frage angezogen.

*Was wird dich ausmachen?*

»Du unterschätzt dich«, unterbrach Casey ihr Schweigen. »Sich für ein Ziel zu entscheiden und dann dorthin zu fahren, ist *überaus* fantastisch. Außerdem ist es essenziell, um ein großartiges Leben zu führen.«

»Und der Trick besteht darin, nicht *irgendwelche* Ziele auszuwählen, sondern solche, die bedeutend und sinnvoll sind«, fügte Emma hinzu. »Je bedeutender und sinnvoller das Ziel, desto fantastischer ist das Leben.«

Hannah dachte darüber nach. »Okay. Nehmen wir an, ich wähle etwas Fantastisches aus.«

»Fantastisch für wen?«, warf Casey ein. »Fantastisch für deine Eltern, deine Lehrer, deine Freunde?«

»Fantastisch für mich.«

Casey nickte bestätigend.

»Was dann?«, fragte Hannah.

Emma schmunzelte. »Kannst du uns ein Beispiel für etwas geben, das fantastisch wäre?« Sie hielt inne. »Fantastisch für dich.«

»Ich weiß nicht.«

»Was, wenn du es wüsstest?«, hakte Casey nach.

»Eine Designerin von Sportautos zu sein«, erwiderte Hannah rasch.

Die Antwort überraschte Emma etwas. Casey lächelte lediglich. »Tatsächlich?«, rief Emma aus. »Das ist fantastisch. Und warum genau das?«

Hannah zuckte mit den Achseln. »Keine Ahnung. Es ist schon seltsam, oder? Ich kann noch nicht einmal Auto fahren und bin überallhin mit meinem klapprigen Fahrrad unterwegs. Aber ich bin geschickt darin, Dinge auseinanderzubauen und wieder zusammenzusetzen. Außerdem bin ich richtig gut in Mathe und Physik.

Ich habe viele Ideen, wie man Dinge besser und schneller machen könnte. Welche Formen man nutzen könnte und wie sie designt werden sollten. Ich denke die ganze Zeit über solche Dinge nach.«

»Ich finde das überhaupt nicht seltsam«, meinte Emma. »Ich finde es großartig.«

»Es ist nur …«, Hannah zögerte. Das bedrückende Gefühl stellte sich wieder ein. »Ich meine, wenn ihr sehen würdet, wo ich wohne, nicht nur mein Zuhause, sondern auch die ganze Gegend und das Umfeld. Niemand von dort würde das großartig finden. Die Leute würden mich für bescheuert halten.«

»Und das bringt uns zu dem zweiten großen Hindernis«, sagte Casey.

»Menschen, die einen für bescheuert halten?«

Casey schüttelte den Kopf. »Sich von solchen Leuten beeindrucken zu lassen. Wenn andere uns unterstützen, ist das fantastisch. Aber wenn sie das nicht tun, machen sie uns fertig.«

»Es sei denn …«, schaltete Emma sich wieder ein.

Hannah sah sie an. »Es sei denn, was?«

»Es sei denn, wir erreichen den Punkt, an dem unser Selbstbewusstsein so groß ist, dass wir uns nie mehr von ihnen bremsen lassen«, antwortete Casey. »An dem wir aus ganzem Herzen und mit voller Überzeugung an unsere eigene Bedeutung glauben. Was allerdings ein Balanceakt ist. Denn damit es gut funktioniert, ist es wichtig, dass Selbstvertrauen und Demut im Gleichgewicht sind.«

Hannah sah sie fragend an. »Ich weiß nicht genau, was Sie damit meinen.«

Casey nickte Emma kaum merklich zu.

»Als Surfer«, begann Emma, »muss man in dem Gefühl rausgehen, dass man es beherrscht. Die Entscheidungen, wann man große Wellen reitet, fallen innerhalb eines kurzen Augenblicks, und die Konsequenzen sind weitreichend. Ein Zögern, Unsicherheit oder Selbstzweifel – und man kann im Krankenhaus landen oder noch schlimmer. Aber man muss auch die eigenen Grenzen kennen. Denn egal, wer man ist, es gibt bestimmte Situationen, die uns einfach überfordern.«

»Das bedeutet nicht«, ergänzte Casey, »dass die Grenzen immer dieselben sind. Mit Coaching und Übung können sie sich dramatisch verändern. Aber wenn wir die Balance zwischen Selbstvertrauen und Demut nicht hinbekommen, werden wir nicht lange durchhalten. Es ist wichtig zu wissen, was wir nicht wissen oder können.«

»Wissen, was wir nicht wissen«, wiederholte Hannah leise.

Casey warf Emma einen Blick zu und wandte sich dann wieder Hannah zu. »Und da ist noch etwas«, sagte sie.

 **25**   Hannah wartete gespannt darauf, was Casey oder Emma ihr mitteilen würde. Doch keine von beiden sagte etwas.

»Und worum geht es?«, fragte Hannah schließlich.

Die beiden schwiegen weiterhin.

»Letztes Jahr ist einem Jungen, den ich kannte, etwas passiert«, begann Emma nach einer Weile leise. »Er hieß Ricky. Er war ein guter Surfer. Er hatte ein gutes intuitives Gefühl, war kräftig und klug. Ricky konnte die Wellen wirklich gut lesen.« Sie machte eine Pause. »Außerdem war er ein netter Kerl. Sympathisch. Und auch humorvoll.«

Ihr Lächeln verflog. »Aber er wurde oft gemobbt.«

»Warum?«, fragte Hannah.

»Es gab eigentlich keinen bestimmten Grund dafür«, erwiderte Emma.

»Manchmal bereitet es Leuten, die selbst keine Ziele haben, besondere Freude, andere niederzumachen, die etwas Großartiges erreichen wollen«, sagte Casey leise. »Sie machen sich über das Aussehen von jemandem lustig. Oder darüber, wie jemand geht oder spricht oder sich kleidet oder über seine Interessen … Sie finden immer irgendetwas. Sie wollen sich in ihrem eigenen Leben

122

besser fühlen und versuchen, das zu erreichen, indem sie das Leben anderer kritisieren.«

»Was ist mit Ricky passiert?«, fragte Hannah.

»Es hat ihm stark zugesetzt«, antwortete Emma. »Er hatte immer das Gefühl, sich beweisen zu müssen. Zeigen zu müssen, dass er Anerkennung verdient hatte. Und er dachte, er könnte den Leuten, die sich über ihn lustig machten, zeigen, dass er etwas draufhatte, wenn er immer größere Wellen in Angriff nahm.«

Emma machte eine Pause und schüttelte den Kopf. Hannah sah, dass ihre Augen sich mit Tränen füllten.

»In der Welt der Surfer«, fuhr Emma fort, und ihre Stimme versagte ihr fast, so sehr wallten die Gefühle in ihr auf, »gibt es eine Zeremonie, wenn jemand in den Wellen umkommt. Alle Surfer gehen dem Verstorbenen zu Ehren mit ihren Surfboards raus ins Meer und legen zur Erinnerung an die Person Blumenketten auf das Wasser. Jeder sagt etwas Nettes.« Tränen begannen an Emmas Wangen hinunterzulaufen. Casey legte den Arm um ihre Schulter.

Emma wischte sich die Tränen von den Wangen. »Es ist wirklich eine schöne Zeremonie.« Sie stockte und fing wieder an zu weinen. »Und es hätte nie sein dürfen, dass sie für einen sechzehnjährigen Jungen abgehalten werden musste, der gestorben war, weil er versucht hatte, anderen Leuten zu beweisen, dass er etwas draufhatte.«

 **26** Als Mike während seiner Unterhaltung mit Max aufblickte, bemerkte er, dass Emma aufgewühlt die andere Sitznische verließ und zur Küche ging.

»Entschuldige mich bitte einen Moment, Max«, sagte er und stand auf.

Max sah ihn überrascht an, warf einen Blick über seine Schulter und erkannte, dass Emma weinte. »Kein Problem.«

Casey blickte Emma von ihrer Sitznische aus hinterher. Als sie sah, dass Mike aufstand, wandte sie sich wieder Hannah zu.

»Ist sie okay?«, fragte Hannah zögernd und schaute dorthin, wo Emma verschwunden war.

Casey nickte. »Sie hat sich um Ricky gekümmert. Sie hat versucht, ihm zu helfen. Was geschehen ist, setzt ihr immer noch zu.«

Hannah schüttelte den Kopf. »Ich verstehe nicht, warum Menschen so gemein sind. Warum kümmern sie sich nicht einfach um ihre eigenen Angelegenheiten?«

»Weil fiese Leute sich daran hochziehen«, antwortete Casey. »Das ist ihre Masche. Dadurch kommen sie sich selbst wichtig vor.«

»Das ist schrecklich.«

»Ja, das ist es. Auf vielerlei Weise. Aber so verhalten sie sich nun mal. Sie stürzen sich auf Menschen, denen es an Selbstbewusstsein mangelt. Sie versuchen sie unterzubuttern. Mental, emotional ...«, Casey machte eine kurze Pause, »körperlich.«

»Ist es Ihnen schon einmal so ergangen?«, fragte Hannah.

Casey nickte langsam. »Ja, vor langer Zeit. Bevor ich zum ersten Mal hierhergekommen bin.«

Hannah dachte an ihr Zuhause, an ihr Zimmer und an das Türschloss, das sie jeden Abend verriegelte, solange sie zurückdenken konnte. »Das tut mir leid.«

»Ja, es war schlimm«, murmelte Casey. »Aber ich habe vor langer Zeit gelernt, mir *selbst* die Momente in meinem Leben auszusuchen, die definieren, wer ich bin. Und solche Momente gehören nicht dazu.«

»Das gefällt mir«, sagte Hannah mit einem leichten Lächeln.

Casey schwieg eine Weile, dann fuhr sie fort: »Ricky wollte die anderen dazu bringen, ihn zu mögen und zu respektieren. Paradoxerweise mochte und schätzte er die Menschen, die er unbedingt beeindrucken wollte, eigentlich nicht.«

Nach einer kurzen Pause fügte sie hinzu: »Vor ein paar Jahren hatten wir eine Besucherin, der bewusst wurde, dass sie sich intensiv um die Mitgliedschaft in einem Club bewarb, dem sie in Wirklichkeit gar nicht angehören wollte. Ich glaube, das war auch bei Ricky der Fall.«

»Das ist traurig.«

»Ja, das ist es. Denn irgendeiner Gruppe anzugehören macht uns selbst nicht bedeutsam, und es verleiht unserem Leben keinen wahren Sinn.«

Hannah zögerte einen Moment. »Und was gibt ihm einen Sinn?«

»Wenn wir etwas tun, das *unserer* Meinung nach sinnstiftend ist.«

Die beiden saßen erneut eine Weile schweigend da.

»Ich glaube, wir haben alle gehofft, dass Ricky das erkennen würde«, sagte Casey traurig. »Dass er einen Punkt erreichen würde, an dem ihm egal wäre, was die anderen über ihn dachten oder sagten.«

Hannah wandte ihren Blick ab. »Dafür muss man ziemlich selbstbewusst sein.«

\*\*\*\*\*

Als Mike in die Küche kam, stand Emma an die Spüle gelehnt.

Sie sah auf und wischte sich die Tränen von ihren Wangen. »Hi, Dad.«

»Hi, Coconut.« Als er zu ihr hinüberging, streckte sie die Arme aus, umarmte ihn und legte ihren Kopf an seine Brust. Sie begann wieder zu weinen.

»Ich kann das nicht so gut, Dad.«

Er lächelte in sich hinein. Sie war mittlerweile so erwachsen geworden. Er erinnerte sich an die Zeit, als er in der Lage gewesen war, sie hochzunehmen, ein Stück in die Luft zu werfen und sie wieder aufzufangen. Das hatte stets ausgereicht, um alle Probleme in ihrer Welt zu lösen.

»Was kannst du nicht gut?«

»Na ja, das, was wir hier machen. Casey und ich hatten ein richtig gutes Gespräch mit Hannah. Über ihre Fragen auf der Speisekarte und über die Hindernisse. Dann haben wir begonnen, über Ricky zu reden, und … ich habe einfach die Fassung verloren.«

Mike drückte sie fest an sich. »Ist schon gut.«

Sie löste sich aus der Umarmung und wandte sich etwas ab. »Nein, es ist nicht gut, Dad. Ricky ist gestorben, weil er dachte, er wäre nicht gut genug. Und ich konnte es nicht verhindern.« Sie schüttelte den Kopf. »Ich habe mitbekommen, wie die anderen Jugendlichen ihn gemobbt haben.«

»Du hast es versucht«, erwiderte Mike sanft. »Du hast mit ihm gesprochen. Du hast versucht, ihm zu helfen, damit klarzukommen. Du warst mit ihm befreundet.«

Sie schüttelte den Kopf. »Aber es hat nicht gereicht. Offensichtlich hat es nicht gereicht.«

Mike schwieg eine Weile. »Manchmal ist das so. Und solche Dinge verfolgen uns. Als Ricky gestorben ist, habe ich viel darüber nachgedacht, was *ich* getan habe, um ihm zu helfen.«

»Aber du hast dich viel mit ihm unterhalten«, protestierte Emma.

»Das stimmt. Aber vielleicht hätte ich mehr mit den anderen Jugendlichen reden sollen. Oder mit den anderen Surfern. Oder mit Rickys Eltern.« Mike schüttelte den Kopf. »Wir tun, was wir können, Coconut. Manchmal ist das nicht genug.«

»Und was sollen wir dann tun?«

»Wir sollten daraus lernen. Es verarbeiten.«

Mike hielt inne und sah zu Hannahs Sitznische hinüber. Emma folgte seinem Blick.

»Wir tun unser Bestes, um dem nächsten Menschen zu helfen«, fügte er hinzu.

Emma sah zu ihm auf und wischte sich die letzten Tränen von den Wangen.

Mike schaute wieder zu Hannah. »Brauchst du Hilfe?«, fragte er sanft.

»Vielleicht.«

»Gib mir einfach Bescheid.«

»Okay«, antwortete Emma.

Damit ging sie auf die Tür zu, drehte sich dann aber noch einmal um und schlang ihre Arme für einen kurzen Moment um Mike. Er gab ihr einen Kuss auf den Kopf.

Schließlich löste sie sich von ihm und steuerte auf die Sitznischen zu.

 **27** Emma kehrte zu dem Tisch zurück, an dem Casey und Hannah saßen. Casey sah lächelnd zu ihr auf.

»Es tut mir wirklich leid, dass das gerade passiert ist«, sagte Emma an Hannah gewandt.

»Ist schon okay«, erwiderte Hannah. »Das mit deinem Freund tut mir leid.«

Emma nickte statt einer Antwort.

»Dein Timing ist perfekt«, sagte Casey sanft und deutete auf den Platz neben sich, wo Emma zuvor gesessen hatte. »Wir waren gerade im Begriff, über das dritte Hindernis zu sprechen. Ich glaube, es wäre noch sinnvoller, wenn wir beide es gemeinsam erläutern.«

Emma zögerte einen Moment und setzte sich dann.

»Was ist das dritte Hindernis?«, fragte Hannah.

»Über das Angenehm-Beschäftigtsein hinauszuwachsen«, antwortete Casey.

Hannah sah sie verwirrt an. »Aber das haben Sie und Emma mir bereits erklärt. Dass wir uns etwas Fantastisches aussuchen sollten, worauf wir hinarbeiten können.«

»Und im dritten Schritt taucht das Thema erneut auf«, erwiderte Casey.

»Und weshalb?«

Casey warf Emma einen vielsagenden Blick zu. »Weil der Pfad zu etwas Fantastischem uns nicht immer so großartig erscheint. Es gibt Zeiten, in denen wir das Gefühl haben, im Regen zu stehen. Zeiten, in denen wir den Eindruck haben, in tiefem Schlamm festzustecken.«

Casey schmunzelte und stupste Emma leicht mit ihrer Schulter an. »Momente, in denen es uns so vorkommt, als würden wir im Regen stehen *und* im Schlamm feststecken, *und* in denen wir uns nicht einmal sicher sind, ob wir uns überhaupt auf einem Pfad befinden.«

»Wirklich?«, fragte Hannah.

Casey nickte, und eine alte Erinnerung schoss ihr plötzlich durch den Kopf. Sie sah kurz zum Fenster hinaus, atmete tief durch und ließ die Erinnerung vorüberziehen. Dann wandte sie sich wieder Hannah zu. »Und in solchen Momenten sehnt sich unser Geist nach einer *angenehmen Beschäftigung.*«

»Das klingt besser als Schlamm und Regen«, folgerte Hannah.

»Es fühlt sich auch besser an«, bestätigte Casey. »Und deshalb suchen manche Leute diesen Zustand und lösen sich dann eigentlich nie mehr daraus. Doch mit der Zeit erkennen wir, dass die Herausforderungen, etwas Neues zu lernen, die Enttäuschungen bei Misserfolgen, der Kampf, immer weiterzumachen – dass all diese Dinge zu den wichtigsten Schritten auf dem Pfad zu etwas Fantastischem gehören. Vor allem, wenn wir auf unseren ersten Pfaden unterwegs sind.« Casey hielt erneut inne und fügte dann hinzu: »Und wenn wir uns diesen Herausforderungen nicht stellen …«

»… werden wir nie über das Angenehm-Beschäftigt-sein hinauswachsen«, vollendete Hannah den Satz.

Casey antwortete mit einem Nicken.

»Ist es am Anfang immer schwierig?«, wollte Hannah schließlich wissen.

Casey stupste Emma sanft mit der Schulter an: »Nein, nicht unbedingt. Am Anfang kann es uns sehr beflügeln. Schließlich haben wir eine Entscheidung getroffen, die im Einklang mit unserem Herzen steht, und wissen einfach, dass sie richtig ist. Wir fühlen uns frei und klar. Unsere Energie ist auf einem sehr hohen Niveau, und wir haben das Gefühl, dass nichts uns stoppen kann.«

»Aber irgendetwas bremst uns?«

»Genau. Und zwar die Realität.«

»Die Realität?«

»Nehmen wir an, es wäre dein großer Traum, Gitarre zu spielen. Es ist etwas, das du dir insgeheim wünschst. Schon immer hast du Leute bewundert, die Gitarre spielen konnten, und hast häufig darüber nachgedacht, es zu versuchen. Eines Tages beschließt du dann: ›Jetzt mache ich es. Ich lerne Gitarre zu spielen.‹«

»Bis jetzt klingt es gut«, sagte Hannah.

»Ja, nicht wahr?«, antwortete Casey. »Du bist so gespannt, dass du es gar nicht erwarten kannst. Und dann hältst du eine echte Gitarre in deinen Händen, nimmst Platz und hast deine erste Stunde.«

Casey hielt inne und nickte Emma kaum merklich zu.

»Und wenn du eine gute Lehrerin hast, dann *wird* es dir Spaß machen«, fügte Emma nach einem Moment des Zögerns hinzu. »Du wirst etwas lernen, und es wird sich wie ein großartiger Start anfühlen.«

»Wo ist dann das Problem?«

»Das Problem taucht während der Woche auf, wenn du beim Üben bist«, erklärte Casey. »Alles ist neu. Die Griffe gelingen dir nicht richtig. Du kannst dich nicht daran erinnern, welcher kleine Punkt auf dem Blatt für welche Note steht und welche Noten welche Akkorde bedeuten. Jeder Schritt ist eine riesige Lernkurve.«

»Klingt danach, als würde es über mir beginnen zu regnen«, warf Hannah ein.

»Genau«, bestätigte Casey. »Und dein Geist mag den Regen nicht, daher möchte er diesen unangenehmen Zustand und den Kampf hinter sich lassen und wünscht sich stattdessen …«

»Eine angenehme Beschäftigung?«

»Richtig. Daher sterben die meisten Träume in der ersten Woche. Aber nehmen wir an, du beißt dich durch. Du übst die ganze Woche und machst einige Fortschritte. Du beginnst, die Noten zu erkennen. Deinen Fingern fällt der Umgang mit den Saiten etwas leichter. Also fährst du zu deiner zweiten Gitarrenstunde.

Als du ankommst, spielt deine Lehrerin auf ihrer Gitarre. Sie spielt *richtig* gut. Auf einem Niveau, von dem du träumst. Das ist in gewisser Weise auch toll, weil es dich daran erinnert, warum du Gitarre spielen möchtest. Doch dann beginnt dein Unterricht. Und wozu du *in der Lage bist*, verglichen mit dem, was du gerne *können würdest*, und im Vergleich zum Können der Lehrerin, ist nur allzu offensichtlich. Es wirkt so, als würdest du vor einem unüberwindbaren Hindernis stehen. Dein Geist denkt nun, dass du nie in der Lage sein wirst, so zu spielen.«

»Und was passiert dann?«, bohrte Hannah nach.

»Die meisten Menschen, die nach der ersten Woche nicht aufgegeben haben, geben irgendwann in der zweiten oder dritten Woche auf«, antwortete Casey. »Ihrem Geist gefällt der Kampf nicht. Er will auf angenehme Weise beschäftigt sein.«

Hannah schüttelte den Kopf. »Das ist eine deprimierende Geschichte.«

Casey lächelte vielsagend. »Das ist die Realität. Und wenn wir sie erkennen, sind wir in der Lage, uns durch den Regen und den Schlamm hindurchzukämpfen. Zudem sind wir uns sicher, dass wir uns *tatsächlich* auf einem Pfad befinden, und sind fähig weiterzumachen, wenn die anderen aufgeben.«

»Angenommen, ich bleibe die ersten paar Wochen dran«, überlegte Hannah. »Was passiert dann? Macht es irgendwann wieder Spaß?«

Casey blickte zu Emma und wartete darauf, dass sie antwortete.

»Ja«, schaltete Emma sich ein. »Das tut es. Je mehr du übst und je mehr du lernst, desto besser wirst du. Und du machst auch schneller Fortschritte. Du lernst immer schneller, weil die Lerninhalte miteinander verknüpft sind.«

»An diesem Punkt liegt dein Schicksal in deinen Händen«, fügte Casey hinzu. »Wenn du das Gitarrespielen weiterhin übst, wirst du etwa im zweiten Monat in der Lage sein, ein oder zwei Songs zu spielen. Und wenn du dranbleibst, wirst du ein paar Monate später noch weitere Songs und komplexere Akkorde spielen können.«

»Der Regen hört also nach einigen Monaten auf?«, schlussfolgerte Hannah. »Das ist nicht toll, aber es ist machbar, wenn man weiß, dass es so lange dauert.«

»Das stimmt«, antwortete Casey. »Es ist viel leichter dranzubleiben, wenn man sich über den Prozess im Klaren ist.« Sie machte eine Pause. »Das gilt auch, wenn man ein gutes Beispiel hat, über das man nachdenken kann.«

 **28** »Hast du eigentlich kleine Geschwister?«, fragte Casey. »Oder wohnen vielleicht kleine Kinder bei dir in der Nähe?«

»Ja, im Nachbarhaus«, antwortete Hannah. »Sie haben einen Fünfjährigen. Ich bin dort beim Babysitten, seit er ein Neugeborenes war. Warum?«

»Als er gelernt hat, etwas zu sagen, wie ist das abgelaufen? Hat er am ersten Tag ein Wort gesagt und am nächsten Tag zwei Worte …?«

Hannah schüttelte den Kopf. »Er hat gar nichts gesagt, bis er ungefähr zwei war. Dann waren es eine Zeit lang nur einzelne Worte: Mama. Papa. Nein.« Sie schmunzelte. »Das Letzte mochte er besonders gern.«

»Und was ist dann passiert?«, hakte Casey nach.

Hannah überlegte kurz. »Ich glaube, dann hat er begonnen, ein paar Worte zusammenzusetzen. Er konnte meinen Namen nicht richtig aussprechen, deshalb sagte er: ›Na Na halten‹, wenn ich ihn auf den Arm nehmen sollte. Das hat mir sehr gut gefallen.«

Sie dachte erneut nach. »Dann hat er *sehr viel* gesprochen. Es waren zwar keine perfekten Sätze, aber es war richtig viel.« Sie lächelte. »Mittlerweile ist er beim Reden *gar nicht mehr* zu bremsen.«

»Erinnere dich auf deinem Weg zu etwas Fantastischem an all das«, empfahl Casey. »Denn es ist ein großartiges Beispiel dafür, dass es nicht linear nach oben geht, wenn wir Fortschritte machen. Wir verbessern uns nicht um ein Prozent in der ersten Woche, um zwei in der nächsten und um drei in der dritten … Beim Lernen kommt es schubweise zu explosionsartigen Fortschritten.«

»Aber nicht, wenn wir aufgeben«, warf Hannah ein.

Casey nickte. »Nicht, wenn wir aufgeben.«

»Ich glaube, ich verstehe.«

»Das ist großartig«, sagte Casey. »Denn was den Traum vom Gitarrespielen betrifft, wird es bald wieder von oben herabregnen.«

Hannah sah sie überrascht an. »Wie bitte? Warum?«

»Nehmen wir an, du hast auf dem Pfad zu deinem Traum sechs Monate hinter dir. Du kannst tatsächlich schon ein bisschen spielen. Nicht nur superleichte Songs, sondern auch komplexere Stücke.

Ebenso wie es beim Lernen zu Fortschrittsexplosionen kommt, gibt es auch Plateauphasen. Wenn dein Gehirn etwas begreift, macht es quasi überall klick, aber dann braucht es eine Weile, um zu verarbeiten, was als Nächstes kommt.«

Hannah runzelte die Stirn. »Also stehe ich wieder im Regen?«

Abwartend blickte Casey zu Emma. »Während der Plateauphase strengst du dich intensiv an, aber es scheint keine große Entwicklung stattzufinden«, begann Emma. »Im Vergleich zur Explosionsphase machst du viel langsamere Fortschritte.«

»Und was passiert in dieser Phase wohl bei einer ganzen Reihe von Leuten?«, fragte Casey.

»Sie sehnen sich danach, angenehm beschäftigt zu sein?«, vermutete Hannah.

»Genauso ist es«, bestätigte Casey. »In dieser Phase könnte ein Angenehm-Beschäftigtsein bedeuten, dass sie bei ihrem Traum vom Gitarrespielen einfach auf dem Niveau stehen bleiben, das sie bis dahin erreicht haben.«

»Was besser ist als nichts«, überlegte Hannah.

»Das stimmt«, erwiderte Casey. »Aber es entspricht nicht dem, was sie sich ausgemalt hatten. Also lassen sie zu, dass ihre ursprüngliche Vorstellung mehr und mehr in den Hintergrund gerät. Sie nehmen die Gitarre nur noch alle paar Wochen zur Hand. Nach einer Weile tun sie das nur noch alle paar Monate. Doch je länger die Pausen werden, desto weniger vertraut fühlt es sich an, und schließlich möchte ihr Gehirn lieber …«

»… angenehm beschäftigt sein«, vervollständigte Hannah den Satz.

Casey nickte.

Hannah sah die beiden Frauen an. »Finde einen Lehrer, lerne von ihm, übe und bleibe dran. Das habt ihr mir vorhin empfohlen. Und mir erklärt, dass diese Dinge erforderlich sind, wenn ich etwas Fantastisches erreichen möchte.«

Casey warf Emma lächelnd einen Blick zu und stupste sie erneut mit ihrer Schulter an. »Genauso ist es.«

 **29**  Hannah sah hinaus. Das spärliche Tageslicht, das vorhanden gewesen war, als sie ihr Fahrrad repariert hatten, war längst verschwunden. Ihr Handy lag auf dem Tisch, und als sie einen Blick darauf warf, konnte sie nicht glauben, wie spät es war.

»Es ist schon spät«, bemerkte Casey.

»Ja«, antwortete Hannah zögernd. Sie war überrascht, wie schnell die Zeit vergangen war. Die Gespräche gehörten zu den besten, die sie in ihrem gesamten Leben geführt hatte. Sie wollte gerne noch länger bleiben, aber sie musste irgendwann aufbrechen. Je später es wurde, desto schwieriger würde es sein, nach Hause zu kommen.

Casey lehnte sich über die Trennwand ihrer Sitznische und blickte zu Max und Mike, die sich miteinander unterhielten. Offenbar war Max im Begriff aufzubrechen. Sie wandte sich wieder um und betrachtete die Teller auf dem Tisch.

»Wunderbar«, rief sie. »Du hast das Spezialfrühstück ziemlich gut bewältigt.«

Hannah hatte während der Gespräche langsam einen Teller nach dem anderen in Angriff genommen, sodass die meisten davon nun leer waren. »Wahrscheinlich war ich ziemlich hungrig«, stellte sie fast etwas entschuldigend fest. »Und das Essen war wirklich lecker.«

»Das freut mich«, bemerkte Casey. Sie schaute erneut dorthin, wo Max und Mike saßen. »Weißt du was, Max würde dich wahrscheinlich sehr gerne mit dem Auto mitnehmen und nach Hause fahren. Auf der Straße, auf der du vorhin ein Stück mit dem Fahrrad entlanggefahren bist, biegt ihr nach etwa drei Meilen rechts ab, und dann fahrt ihr bei der zweiten Abzweigung links. Nach etwa einer Meile wirst du dich wieder auskennen. Den restlichen Weg könntest du Max dann lotsen.«

Hannah fragte sich, woher Casey wissen wollte, dass es wirklich so laufen würde.

»Zumindest wird dein Handy dir von dort aus sicherlich eine Route vorschlagen«, fügte Casey schmunzelnd hinzu.

Hannah warf erneut einen Blick auf die Uhrzeit auf ihrem Handy. Es würde definitiv schneller gehen, wenn sie sich mitnehmen ließ.

»Ich habe allerdings überlegt«, fuhr Casey fort, »dass du wieder hierherkommen könntest, solltest du morgen Zeit haben. Es scheint eine ziemlich schöne Gegend zum Fahrradfahren zu sein. Ich habe sie noch nicht ausgiebig erkundet, und es wäre toll, wenn du uns etwas zeigen könntest.«

»Wirklich?«, fragte Hannah. Sie wandte sich Emma zu. »Kannst du dir die Zeit freinehmen?«

»Ich bin sicher, dass mein Vater eine kleine Weile ohne uns zurechtkommen wird«, erwiderte Emma strahlend.

Hannah nickte. »Okay. Ich komme morgen Vormittag vorbei.«

»Ich gebe Max Bescheid«, meinte Casey. »Wie wärs, wenn du zusammen mit Emma dein Fahrrad von der Rückseite des Cafés holst? Dann sage ich ihm, dass ihr euch bei seinem Lieferwagen trefft. Dort draußen steht sein alter Pick-up.«

Hannah sah durch das Fenster hinaus und erblickte den Wagen. »Okay.«

 **30** Gemeinsam mit Hannah hatte Max das Fahrrad auf der Ladefläche seines Lieferwagens verstaut. Nun fuhren sie auf der Straße entlang, die vom Café fortführte.

»Wie war dein Abendessen, Hannah?«, fragte Max.

»Es war gut. Wirklich lecker.« Nach einer Weile fügte sie hinzu: »Ich mag dieses Café.«

»Ja, es hat etwas Besonderes an sich, das ist sicher.«

»Es hat aber auch etwas Seltsames an sich«, sagte Hannah. »Schließlich kenne ich die gesamte Gegend hier, und ich habe noch nie gehört, dass jemand das Café erwähnt hätte. Außerdem hat Casey mir den Weg beschrieben, als würde sie genau wissen, wo sie war, aber sie hat auch behauptet, dass sie und Emma die Gegend noch nicht genau erkundet hätten. Als wären sie erst vor Kurzem hierhergekommen oder so.«

Max antwortete nicht.

Hannah sah zu ihm hinüber. »Casey hat mir übrigens empfohlen, Sie zu bitten, das Schnellvorlauf-Spiel mit mir zu spielen. Worum handelt es sich dabei?«

Max warf ihr einen überraschten Blick zu. »Es ist etwas, worüber ich mich vorhin mit Emma und ihrem Vater unterhalten habe.«

141

»Können Sie mir erklären, worum es dabei geht?«

»In Ordnung«, willigte Max ein.

Dann wiederholte er ein paar Minuten lang die Geschichte, die er schon früher an diesem Abend erzählt hatte. Hannah hörte interessiert zu. Sie hatte noch nie über so etwas nachgedacht.

»Das ist ziemlich cool«, befand sie, als Max fertig war.

»Tja, es wäre noch cooler gewesen, wenn ich die andere Seite davon wirklich begriffen hätte«, erwiderte Max.

»Was ist die andere Seite?«

»Was ich an diesem Abend in dem Laden lernte und danach für mich nutzte, war, wirklich dumme Entscheidungen zu vermeiden. Das ist sinnvoll, und wahrscheinlich konnte ich zu jenem Zeitpunkt in meinem Leben tatsächlich nichts anderes für mich daraus ableiten, als darauf zu achten, dass ich nichts tat, was mir langfristig schaden würde.«

Max zuckte mit den Achseln. »Wäre mir die andere Seite damals allerdings bewusst gewesen, hätte ich sie nutzen können, um mein Leben weitaus vielfältiger auszurichten. Ich hätte andere Realitäten ansteuern können.«

Max hielt kurz inne. »Manchmal ist uns aber nicht bewusst, was wir nicht wissen, und ich hatte niemanden, auf den ich mich verlassen konnte, niemanden, der mir hätte helfen können, solche Dinge zu erkennen.«

Sie fuhren eine Weile schweigend dahin.

Schließlich sagte Hannah: »Sie hätten diese Erkenntnis nutzen können, um andere gute Optionen für Ihre Zukunft auszumachen. Sie haben Ihr Wissen eingesetzt, um abzuschätzen, was zu Problemen führen würde. Aber Sie hätten es auch nutzen können, um herauszufinden, was zu etwas Fantastischem führen würde.«

Sie sah Max an. »Richtig?«

Er nickte langsam. »Ja. Darum geht es. Allerdings habe ich fast mein ganzes Leben gebraucht, um mir das bewusst zu machen. Und dir war es innerhalb von ein paar Minuten klar.«

Hannah lächelte verlegen. »Ich kann Muster ganz gut erkennen«, erwiderte sie. »Ich sehe Verbindungen und nehme wahr, in welcher Beziehung verschiedene Dinge zueinander stehen.« Sie hielt kurz inne. »Aber mein Geist braucht dafür einen Ausgangspunkt, so einen wie die Geschichte, die Sie mir erzählt haben.«

Hannah hatte Max gelotst, seit sie die Stelle erreicht hatten, die Casey ihr beschrieben hatte. Sie hatte also recht gehabt. Hannah erkannte die Gegend und war in der Lage, Max von dort aus zu dirigieren. Als sie durch die heruntergekommenen Viertel fuhren, fühlte sich Hannah immer unwohler.

Sie dachte an die zweite Frage auf der Speisekarte.

*Was wird dich ausmachen?*

Max warf ihr einen kurzen Blick zu und deutete dann mit dem Kopf nach draußen. »Sieht nach einer rauen Gegend aus.«

»Stimmt.«

Nach einem weiteren Moment fuhr Max fort: »Weißt du, Hannah, wir alle haben am Ende eine Geschichte, unsere persönliche Geschichte. Dazu gehört, wo wir ursprünglich herkommen. Wo wir gelandet sind. Wo wir geblieben sind und was wir hinter uns gelassen haben. Die große Frage für jemanden in deinem Alter ist, ob du diese Geschichte aktiv mitgestalten wirst.« Er hielt erneut inne. »Und ob du dich für eine Geschichte entscheiden wirst, mit der du letztlich glücklich und zufrieden sein wirst.«

»Emma und Casey haben mir heute Abend geholfen, solche Dinge zu verstehen«, antwortete Hannah, während sie die vorbeiziehenden heruntergekommenen Häuser betrachtete. »Zum Beispiel, welche Wahlmöglichkeiten wir haben.«

»Es ist so, wie ich bereits erwähnt habe, als wir dein Fahrrad repariert haben: Niemand wählt selbst aus, wo er geboren wird. Aber an einem bestimmten Punkt entscheiden wir uns, wo wir bleiben und mit wem wir uns umgeben.«

Er hielt erneut inne. »Du hast gesagt, dass du Muster und Verbindungen ganz gut erkennen kannst. Worin liegt die Verbindung bei alldem?«

Hannah dachte einen Moment lang nach. »Dass ich die Wahl habe?«

»Genau«, bestätigte Max. »Im Moment sicherlich nur in einem gewissen Maße. Aber in ein paar Jahren hast du vollkommen die Wahl.«

Max fuhr bis zu einem Stoppschild und sah Hannah fragend an. »Wo gehts lang?«

»Dorthin«, antwortete sie und deutete nach links. »Es ist das Haus mit der kaputten Spülmaschine im Vorgarten.«

Max bog ab und fuhr bis zu dem Haus. Dort sah es wüst aus. Eine Menge schrottreifer Dinge standen im

Vorgarten und überall verstreut lagen Bierdosen herum. Max schüttelte etwas den Kopf, als er anhielt, und wandte sich dann Hannah zu. »Es gibt noch etwas, womit du dich gedanklich beschäftigen kannst, Hannah: Was du dir selbst sagst, bestärkt, wer und was du bist – oder eben nicht bist.«

Er betrachtete den mit Unkraut überwachsenen Vorgarten mit dem Müll darin. »Wir sind ein Abbild dessen, wie wir uns selbst definieren. Und wenn wir nicht aufpassen, entsteht diese Definition häufig durch ein Umfeld und durch Situationen, die wir uns nicht aussuchen konnten.«

Nach einer kurzen Pause fuhr er fort. »Aber in deinem Alter verändert sich all das. Du wirst immer mehr deine eigenen Entscheidungen treffen. Überlege sie dir stets gut. Denn die Definitionen von dir, die du selbst erschaffst, und die Entscheidungen, die sich daraus ergeben, werden deine Zukunft ausmachen.«

Max' Gedanken sprangen plötzlich zu seiner Kindheit zurück. Er erinnerte sich an sein Gitterbett im Waisenhaus und an den einen Kleiderbügel, auf dem sein einziges Hemd hing. Er hörte schreiende Stimmen. Er hatte während der Fahrt viel geredet. Viel mehr, als er es normalerweise tat. Aber es war wichtig, dass sie alles verstand.

»Wenn du zu dir sagst, dass du eine Person bist, die nicht aufgibt, dann wirst du nicht aufgeben«, erklärte er. »Wenn du dich als unfähig oder dumm definierst oder als arme weiße Unterschicht betrachtest, die in einem heruntergekommenen … «

»Max, ich bin arm, und ich lebe tatsächlich in einem

heruntergekommenen Loch«, unterbrach ihn Hannah und betrachtete den Vorgarten.

»Nein«, entgegnete Max und schüttelte langsam den Kopf. »Das ist die Realität in diesem Moment. Aber nicht, *wer du bist*. Das ist ein großer Unterschied, und diesen Unterschied zu verstehen ...«

Zu Hannahs Überraschung begann die Stimme von Max etwas zu zittern. »Dieser Unterschied verändert alles«, fügte er hinzu.

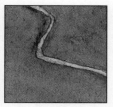 **31** Hannah stand am nächsten Morgen früh auf. Sie musste sich keine Gedanken darüber machen, ob sie ihre Eltern dadurch aufweckte. Nach dem vorigen Abend waren beide noch wie weggetreten. Geöffnete Alkoholflaschen und aufgerissene Chipstüten waren in der Küche und dem Wohnzimmer verstreut. Leere Pizzaschachteln lagen auf dem kleinen Tisch vor dem Fernseher und auf anderen Ablageflächen, benutzte Pappteller und weggeworfene Pizzaränder überall auf dem Boden herum.

Hannah zog sich leise an, putzte sich die Zähne und machte sich auf den Weg. Sie heftete eine kurze Nachricht an den Kühlschrank, dass sie eine Weile unterwegs sein würde. Wahrscheinlich würde niemand sie lesen, und selbst wenn, wäre es allen ohnehin ziemlich egal.

Sie benötigte ungefähr vierzig Minuten bis zum Café. Sie hatte einen guten Orientierungssinn und hatte sich die Route während der Rückfahrt mit Max am vorigen Abend genau eingeprägt.

Als sie ankam, saßen Casey und Emma auf den Stufen, die zum Café hinaufführten.

Emma winkte Hannah zu, als sie sich näherte. »Hallo, Hannah.«

Hannah winkte zurück. Sie konnte sich nicht erklären, woran es lag, aber wieder beim Café zu sein, verlieh ihr ein vollkommen neues Gefühl. Es war wie eine andere Welt. Sie fuhr dicht an die Stufen heran und stieg von ihrem Fahrrad ab.

»Wir waren nicht sicher, ob du Zeit hattest, etwas zu essen«, sagte Casey, »daher haben wir ein Extra-Frühstückssandwich für dich gemacht, falls du es möchtest.« Sie deutete mit dem Kopf auf einen Teller, der neben ihr stand.

Hannah war am Verhungern.

»Sehr gerne.«

»Bestens. Emma wird hier bei dir bleiben, und ich hole eben unsere Fahrräder«, antwortete Casey. »Ach, und übrigens würde ich mich freuen, wenn du mich duzt.« Damit erhob sie sich und ging wieder ins Café hinein.

»Ich freue mich, dass du zurückgekommen bist«, sagte Emma und strahlte Hannah an, die vor Freude über das »Du« leicht rot geworden war. Dann deutete sie mit dem Kopf auf das Essen. »Iss ruhig alles auf. Wir haben noch mehr Sandwiches und andere Sachen dabei.«

Während Hannah aß, sprach sie mit Emma über Max. Sie wollte etwas über seine persönliche Geschichte wissen, und Emma erzählte sie ihr mit all den Details, die sie kannte.

»Hast du ihm gesagt, dass du Sportautos designen möchtest?«, fragte Emma. »Angesichts des alten Lieferwagens, den er fährt, würde man nicht darauf kommen, aber er hat ein unglaubliches Wissen auf diesem Gebiet.«

»Tatsächlich?«, fragte Hannah überrascht.

»Ja, absolut. Er kann alles reparieren, aber am liebsten beschäftigt er sich mit Autos.«

In diesem Moment bogen Mike und Casey um die Ecke des Cafés. Beide schoben ein Fahrrad neben sich her. Sie ähnelten dem von Hannah. Sie waren schon etwas älter und ein bisschen ramponiert, aber absolut noch gut genug zum Fahren.

»Guten Morgen, Hannah«, begrüßte sie Mike. »Danke, dass du dich bereit erklärt hast, Emma und Casey die Gegend zu zeigen.«

»Ach, das ist keine große Sache«, murmelte Hannah.

»Für mich schon«, erwiderte Emma. »Ich habe mich bereits den ganzen Morgen darauf gefreut.«

Casey schulterte einen Rucksack und rief: »Los gehts.«

Kurz darauf fuhren die drei auf einer schmalen zweispurigen Straße entlang, die auf beiden Seiten mit großen Bäumen bewachsen war. Es war ein perfekter Tag. Die Unwetter hatten sich längst verzogen, die Sonne schien hell, und die Lufttemperatur war ideal zum Fahrradfahren.

Sie radelten fast eineinhalb Stunden lang, und Hannah führte die anderen beiden auf wunderbaren Strecken durch Wälder und Wiesen. Auf dem gesamten Weg gab es kaum Autos, und die drei redeten und lachten viel während ihrer Tour.

Als sie eine kleine Kreuzung erreichten, blieb Hannah stehen. Offenbar dachte sie über etwas nach.

»Wo immer du uns auch hinführen möchtest«, sagte Casey.

Hannah zögerte. Ihr Lieblingsplatz war etwa zehn Minuten mit dem Fahrrad entfernt. Sie hatte ihn noch niemandem gezeigt. Nach einem weiteren Moment des Zögerns sagte sie: »Lasst uns hier entlangfahren.«

Kurz darauf erreichten sie den Rand eines bewaldeten Gebiets. Dort bog Hannah von der Straße ab und fuhr auf einen schmalen Waldweg.

»Es ist leichter, von hier aus zu Fuß weiterzugehen«, verkündete sie.

Ein paar Minuten später erreichten sie einen wunderschönen kleinen See, der von majestätischen Kiefern umgeben war. Das Wasser war ruhig und friedvoll, und die Bäume spiegelten sich darin, beinahe so, als wären sie auf das Wasser gemalt worden. Außer ihnen war niemand sonst dort, und abgesehen vom Zwitschern der Vögel und dem leisen Summen einiger Libellen in der Nähe des Ufers war es sehr still.

»Das ist unglaublich, Hannah«, rief Emma aus.

»Gestern hast du uns erzählt, dass du gerne etwas *Fantastisches* erleben würdest«, fügte Casey schmunzelnd hinzu. »Sieht ganz so aus, als hättest du darin schon etwas Übung.«

Hannah war angesichts der Komplimente etwas verlegen. »Dies ist mein Zufluchtsort«, erklärte sie. »Eine bestimmte Zeit des Jahres ist es zu kalt, um sich hier zurückzuziehen, aber in Monaten wie diesem ist es wirklich schön hier.«

Casey nickte. »Es ist gut, ein oder zwei Zufluchtsorte zu haben.«

Die drei ließen sich im Schatten der Bäume nieder und blickten eine Weile auf das Wasser.

»Machst du gerne Spiele, Hannah?«, fragte Casey nach ein paar Minuten.

Nach kurzer Überlegung antwortete Hannah: »Ich denke schon.«

»Es gibt nämlich ein kleines Spiel, das Emma, Mike und ich manchmal beim Wandern spielen. Es heißt: ›Was ich gelernt habe‹. Hast du Lust, es auszuprobieren?«

»Klar«, erwiderte Hannah.

»Wie wärs, wenn du es erklärst?«, forderte Casey Emma auf.

»Es ist ganz einfach«, begann Emma. »Du denkst einfach an etwas, das dir bewusst geworden ist. Etwas, das dir einen ziemlich großen Aha-Moment beschert hat, als es dir dann klar geworden ist. Wir wechseln uns ab und erzählen uns unsere Erkenntnisse gegenseitig. Dabei beginnen wir immer mit der Wendung ›Ich habe gelernt, dass …‹.«

»Okay«, meinte Hannah. »Aber eine von euch muss anfangen.«

Emma sah Casey fragend an.

»Nur zu«, sagte diese.

»In Ordnung«, antwortete Emma lachend. »Lasst mich kurz überlegen.«

Einen Augenblick später begann sie: »Ich habe gelernt, dass Rashguards aus gutem Grund beim Surfen empfohlen werden.«

»Das sehe ich ganz genauso«, stimmte ihr Casey lachend zu.

»Was sind Rashguards?«, fragte Hannah.

Emma erklärte ihr, dass es sich um eine Schutzbekleidung handelte, die Surfer vor Hautirritationen und UV-Strahlung schützte. Einmal, so erzählte sie, hatte sie diese Schutzbekleidung vergessen und war dennoch surfen gegangen.

»Solange ich im Wasser war, war es noch nicht so schlimm. Aber ich kann dir sagen, dass die nächste Woche besonders lang und schmerzvoll war«, sagte Emma. »Seitdem habe ich nie mehr vergessen, meine Rashguards mitzunehmen.«

Nun, da das Eis gebrochen war, wechselten sie sich ab. Nacheinander erzählten sie sich etwas, das sie gelernt hatten. Manche Erkenntnisse waren lustig, andere geradezu philosophisch. Wieder andere waren besonders tiefempfunden und emotional. Emma berichtete den anderen von der Idee, über die sie sich am Vortag mit Mike unterhalten hatte, nämlich dem eigenen Gehirn einen Namen zu geben.

Hannah genoss das alles. Der offene Umgang miteinander, die tiefgründigen Ideen, die komödiantische Art und Weise, mit der Casey und Emma ihre Gedanken häufig vermittelten. Es war eine unglaubliche Erfahrung.

Nach einer Weile war Casey erneut an der Reihe. Ihre Beispiele waren besonders lustig und brutal ehrlich gewesen. Es waren Erkenntnisse, die Hannah in ihrem eigenen Leben so sehr vermisste. Aber sie hatte niemanden, der ihr solche Dinge hätte vermitteln können.

»Okay«, begann Casey nach einem Moment des Schweigens. »Dann hört mal gut zu.«

Nach einer erneuten Pause sagte sie: »Ich habe gelernt, dass Sex keine Liebe ist.«

 **32**  Casey sah kurz zu Hannah, die etwas errötete.

»Mir ist bewusst, dass du diese Welt vielleicht gerade erst entdeckst. Und deshalb ist es noch wichtiger für dich, es jetzt zu erfahren, denn es nicht zu wissen, könnte ernste Konsequenzen haben«, erklärte Casey.

»Okay«, antwortete Hannah zögernd.

»Gestern hast du dich ja schon mit Emma über Pinguine, Eisbären und den Programmcode des instinktgesteuerten Gehirns unterhalten.«

»Das stimmt.«

»Prima. Tja, und nun gehen wir einen Schritt weiter.«

Casey hielt kurz inne. »Stell dir vor, du bist ein Eisbär«, begann sie mit übertriebener Stimme. »Es ist Frühling. Die Tage werden länger, die Sonne scheint wärmer, und du beginnst … *etwas Bestimmtes* zu empfinden.«

Caseys Stimme war so übertrieben emotional, dass Hannah kichern musste.

»Dieses Gefühl ist *überwältigend*«, fuhr Casey fort. »Es ist ein Ruf. Es ist, als wäre eine innere Kommandozeile in deinem Gehirn aktiviert worden, und plötzlich kannst du an nichts anderes mehr denken, als einen Partner zu finden und …«

»… für den Fortbestand der Spezies zu sorgen?«, vervollständigte Hannah den Satz und sah Emma schelmisch grinsend an.

»Genau«, bestätigte Casey. »Wenn du nun ein männlicher Eisbär bist, bedeutet dies, dass du tage- oder sogar wochenlang über Eisschollen wanderst, eiskalte Flüsse durchquerst und schneebedeckte Berge überwindest, um deine besondere Partnerin zu finden.

Wenn du eine Eisbärin bist, bedeutet es, dass du deine üblichen Bedenken – ein männlicher Eisbär könnte dich töten und fressen – außer Acht lässt und stattdessen etwas weniger vorsichtig bist. Außerdem ist es eine wunderbare Zeit, um dich attraktiv zu fühlen und bewundern zu lassen. Die Anwärter sind sogar bereit, sich unaufhörlich miteinander zu messen, sich die Zähne auszubeißen, während sie um dich kämpfen, sich mit einer potenziell lebensbedrohlichen Energie auseinanderzusetzen und dem Rivalen, wenn nötig, sogar ein Ohr abzubeißen.«

Emma tat so, als würde sie sich Luft zufächeln, so wie sie es bereits im Café getan hatte. »Oh, mein Herz. Du weißt ja, was ein entschlossener Biss ins Ohr bei mir auslöst.«

Hannah musste erneut kichern.

»Nachdem du deinen Champion ein paar Tage lang kennengelernt hast«, fuhr Casey fort, »fallen alle Schranken, und du gibst dich ihm eine Woche lang rückhaltlos hin. Danach verabschiedet ihr beide euch rasch voneinander und zieht in unterschiedliche Richtungen von dannen. Um euch hoffentlich nicht erneut über den Weg zu laufen, nachdem die Bärenjungen geboren wurden, denn es besteht ein relativ großes Risiko, dass Papa sie aus Eifersucht und aus territorialen Gründen töten würde. Dieser Tatsache warst du dir wahrscheinlich bewusst, als dieser äußerst prächtige Eisbär ein paar Tage zuvor in deinem Leben aufgetaucht ist.

Nun musste Hannah laut lachen.

»Okay«, sagte Casey an sie gewandt, »behalte diese wunderbare romantische Geschichte einen Moment lang im Kopf, und lass uns nun über die Menschen sprechen. Welche Art von Geschichten hast du als Kind über die Liebe gelesen?«

Hannah dachte kurz nach und antwortete dann: »Ich weiß es nicht.«

»Was wäre, wenn du es wüsstest?«, hakte Casey schmunzelnd nach.

Hannah lächelte zurück. »Märchen, nehme ich an«, sagte sie dann. »Ihr wisst schon, mit einer Prinzessin und ihrem Prinzen und so weiter.«

»Perfekt«, antwortete Casey. »Das war also, als du klein warst. Lasst uns nun etwas nach vorne spulen.« Sie sah Hannah und Emma an. »Wenn ihr mittlerweile als intelligente junge Frauen eine Liebeskomödie seht, was passiert darin in der Regel?«

»Ich bin einsam«, begann Emma mit übertriebener Stimme.

»Moment, wer ist das denn?«, schaltete Hannah sich ein. »Nein, es kann nicht funktionieren. Für den anderen existiere ich nicht einmal.«

»O mein Gott, er hat tatsächlich mit mir gesprochen!«, sagte Emma.

»Sodann munteres Geplänkel und eifriges Geflirte«, ergänzte Hannah lachend.

»Es kommt zur Verabredung. Mehr Geplänkel, mehr Geflirte. Dann der Moment der emotionalen Verbundenheit. Ich fühle mich zu dir hingezogen ...«, fuhr Emma fort.

»Perfekt«, sagte Casey. »Drückt mal auf den Pause-Knopf. Und wie sieht die Szene aus, die unmittelbar *darauf* folgt?« Sie wandte sich mit hochgezogenen Augenbrauen an Hannah.

Hannah lächelte etwas verlegen.

»Die Szene genau danach?«, fragte Casey sie noch einmal.

»Küsse, eine Menge Kleidung wird abgeworfen, und sie landen beide im Bett, mindestens halb nackt«, erwiderte Hannah.

»Genau! Emma hat mir erzählt, dass du gut in Mathe bist. Lasst uns all das also in eine mathematische Gleichung einbauen.«

Casey schnappte sich einen Stock vom Boden und begann etwas in die Erde zu zeichnen.

»Wir fassen das ganze Geflirte und Geplänkel unter der Kategorie der ›Verbundenheit‹ zusammen. Das führt zu dem Moment des Hingezogenseins, was eigentlich so viel bedeutet wie ›Ich bin gerade dabei, mich ...‹«, sie sah Hannah erneut auffordernd an.

»... in dich zu verlieben«, antwortete diese.

»Und das führt dann wozu ...?«, hakte Casey abermals an Hannah gewandt nach.

Hannah neigte den Kopf etwas verlegen zur Seite. »Viele Küsse, nackt im Bett.«

Casey nickte. »Und das ist in Wirklichkeit die Art und Weise, im Film zu sagen, dass sie *was* haben?«

»Sex«, erwiderte Hannah.

»Genau«, sagte Casey. »Bevor wir die Formel erstellen, wollen wir dies mit dem anderen kulturellen Beispiel vergleichen, das du vorhin erwähnt hast. Mit der Geschichte der Prinzessin. Typischerweise werden unser Held und unsere Heldin auf ihrem Weg mit zahlreichen Prüfungen und Hindernissen konfrontiert. Es kommt zu rührenden verbalen Beteuerungen, wenn es sich um die Filmversion handelt, und schließlich lieben die beiden sich inniglich. Und nachdem der schreckliche Bösewicht besiegt worden ist, zeigt die Geschichte sie ein paar Jahre später womit? Mit einer Schar umherlaufender …«

Hannah verdrehte etwas die Augen. »… Kinder.«

»Interessant«, erwiderte Casey mit dramatischer Stimme. »Allerdings entstehen Kinder nicht einfach so aus der Luft. Was bedeutet, dass der nächste Schritt für unseren Prinz und unsere Prinzessin, kurz nachdem sie sich ineinander verliebt hatten, worin bestand?«

Hannah verdrehte erneut die Augen. »Sie hatten Sex.«

»Und das bedeutet, dass wir kulturell häufig dazu verleitet werden, was zu glauben?« Casey reichte Hannah den Stock.

Hannah überlegte einen Moment und schrieb dann mit dem Stock in die Erde auf dem Boden:

Liebe = Sex

Casey sah zu Emma. »Es ist eine Weile her, dass ich Unterricht in Mathematik hatte. Wie heißt das mathematische Gesetz, bei dem man die Seiten vertauschen kann, wenn eine Seite der anderen gleicht?«

»Das ist das Kommutativgesetz«, antwortete Emma strahlend.

»Interessant«, rief Casey mit ihrer überdramatischen Stimme. »Wenn die kulturelle Botschaft also lautet: ›Liebe ist gleich Sex‹, dann müsste mathematisch aus dieser Formel was folgen?«, Casey sah Hannah auffordernd an.

»Sex ist gleich Liebe.«

Casey nickte und machte eine kurze Pause. »Doch das stimmt nicht. Ich sage nicht, dass die Intimität nicht zur Liebe gehört. Oder dass das Gefühl der Verbundenheit nicht zur Liebe gehört. Aber Sex an sich ist nicht gleich Liebe. Und ich werde jetzt erläutern, warum das wichtig ist, vor allem mit fünfzehn.«

Casey hielt kurz inne und sagte dann an Emma gewandt: »Wer waren am Anfang die Stars in unserer Geschichte?«

»Unsere arktischen Eisbärfreunde.«

Casey nickte. »Richtig.« Dann wandte sie sich Hannah zu. »Glaubst du, dass sie sich lieben?«

Hannah lachte. »Tja, trotz des langen Werbens und dem Biss ins Ohr muss ich Nein sagen.«

»Und dennoch haben sie definitiv *was* gemacht?«

»Sie hatten Bärensex?«

»Genau. Eine Woche lustvollen, heißen Bärensex. Und warum?«

Hannah dachte einen Moment lang nach. »Um für die Fortpflanzung der Spezies zu sorgen, nehme ich an. Emma und ich haben uns vorher darüber unterhalten. Es hat etwas mit einem inneren Impuls des instinktgesteuerten Gehirns zu tun.«

»Einem Impuls, um *was* zu sein?«, hakte Casey nach. »Warum kämpfen männliche Tiere von manchen Spezies fast bis zum Tod, um diejenigen zu sein, die sich paaren können? Warum kämpfen Wölfinnen mit ihrem Rudel, um die Alphawölfin zu sein, die sich paaren kann?«

Hannah war sich nicht sicher. Dann erinnerte sie sich an etwas aus ihrem Gespräch tags zuvor mit Emma. »Geht es um den Wunsch, relevant zu sein?«

»Genauso ist es«, bestätigte Casey.

Hannah sah Casey und Emma verwirrt an. »Okay, aber was heißt das? Ich bin kein Eisbär. Und auch kein Wolf. Ich bin …«

»Ein weiteres Tier auf dem Planeten, mit einem Betriebssystem, in dem viele innere Programme verankert sind«, sagte Casey schmunzelnd.

 **33** »Ich bin mir nicht sicher, ob ich das glaube«, sagte Hannah.

Casey nickte. »Was ist bei dir passiert, als du etwa zwölf oder dreizehn Jahre alt warst, Emma? Etwas, das für dich als weibliches Wesen deiner Spezies relevant war?«

»Hm«, begann Emma mit übertriebener Stimme. »Ich glaube, zu der Zeit habe ich begonnen, jeden Monat ein Ei aus meinen Eierstöcken abzusondern.«

»Tatsächlich?«, rief Casey mit gespielter Überraschung. »Ist sonst noch irgendetwas passiert?«

Angesichts des übertriebenen Tons der beiden kicherte Hannah erneut.

»Na ja, mein Körper, der bis dahin von oben bis unten relativ gerade gewesen war, wurde allmählich kurviger, wenn du weißt, was ich meine, Casey. Zum Beispiel an den Hüften und weiter oben ebenfalls.«

»Wirklich?«, erwiderte Casey. »Das ist verblüffend, denn auch ich habe etwa in diesem Alter etwas Ähnliches erlebt.«

Casey ließ ihren Blick zu Hannah und dann wieder zurück zu Emma schweifen. »Und ist dir aufgefallen, wer dir mehr Aufmerksamkeit geschenkt hat, als all das passierte?«

»Tja, Casey, mit Sicherheit zog ich nun mehr Blicke am Strand auf mich.«

»Und wie hast du darauf reagiert, dass du auf diese Weise beachtet wurdest?«, hakte Casey nach.

Emma zuckte mit den Achseln. »Was soll ich sagen? Zunächst fühlte es sich komisch an, manchmal hat es mich genervt, aber es gab auch andere Momente, in denen es sich irgendwie gut anfühlte, wahrgenommen zu werden.«

Casey hörte auf, mit ihrer dramatischen Stimme zu sprechen, und fragte an Hannah gewandt: »Woran liegt das wohl?«

»Keine Ahnung«, antwortete Hannah.

»Du kennst dich doch ganz gut mit Formeln aus, nicht wahr?«, fragte Casey.

Hannah nickte.

»Wenn wir aufgrund unserer Rundungen beachtet werden, ist es dem Programmcode des instinktgesteuerten Gehirns zufolge so, als befänden wir uns am Beginn des Eisbärenzyklus. Ein paar Kämpfe, ein herausgebrochener Zahn oder ein abgebissenes Ohr später, und schon werden wir innerhalb von einer Woche *was* haben?«, fragte Casey.

»Sex.«

»Das bedeutet, wir gehören zu den Auserwählten. Wir sorgen für den Fortbestand der Spezies. Wir sind relevant. Unser Leben hat eine Bedeutung.« Casey machte eine kurze Pause. »Kommen wir nun zu dem kulturellen Programm, das wir verinnerlicht haben, noch bevor wir überhaupt geboren wurden. Wahrgenommen zu werden ist der potenzielle Beginn wovon?«

»Dem Gefühl der Verbundenheit?«, riet Hannah.

»Möglich«, antwortete Casey. »Vielleicht ist es anfangs der Startpunkt für etwas Geplänkel und Geflirte. Was der Formel zufolge die Vorstufe dafür ist, miteinander auszugehen, sowie für mehr Geplänkel, mehr Geflirte und für den emotionalen Moment der Verbundenheit. Und was folgt dann?«

»Ich bin in dich verliebt, lass uns Sex haben«, antwortete Hannah.

»Richtig. Und denke daran, dass die Botschaft lautet: Liebe ist gleich Sex. Kombiniere nun also das Programm des instinktgesteuerten Gehirns *und* den kulturellen Code. Der Wunsch, relevant zu sein, ist vorhanden. Die Sehnsucht, geliebt zu werden, ist vorhanden. Und wenn wir die Formel falsch deuten, ist der Schlüssel zu alldem ...?«, Casey betrachtete den Stock in Hannahs Hand.

Diese nutzte ihn zum Schreiben: Sex.

»Das ist aber etwas beängstigend«, schlussfolgerte Hannah nach einem kurzen Moment.

»Dann halte noch ein kleines bisschen durch, denn du beginnst gerade zu verstehen, was sich hinter dem Rand des Abgrunds befindet«, erwiderte Casey.

»Was meinst du damit?«

»Denk nur an eine beliebige Werbung, in der eine Person nicht ganz bekleidet ist.«

Hannah lachte. »Okay. Es gibt eine, die ich in fast jeder Frauenzeitschrift sehe. Sie ist für irgendeinen Rasierer, um sich die Beine zu rasieren.«

»Großartige Wahl«, sagte Casey. »Und was verspricht uns diese Werbung, wenn wir den Rasierer benutzen?«

»Samtweiche Beine.«

»Genau. Und auf welchen Vorteil aufgrund der samtweichen Beine spielt die Werbung explizit oder zumindest subtil an?«

»Dass wir uns attraktiver fühlen?«

»So ist es. Und wenn wir uns ›attraktiver‹ fühlen, wird *was* wahrscheinlicher passieren?«

»Wir wirken anziehend auf andere?«

Casey nickte. »Wohin könnte das führen, Emma?«

»Tja, Casey, das ist der potenzielle Beginn unserer wunderbaren Formel aus Geplänkel, Geflirte, miteinander Ausgehen, dem Gefühl der Verbundenheit, Sex und Liebe.«

»Wow!«, rief Casey aus. »Ein Rasierer versetzt mich in die Lage, im Programm meines instinktgesteuerten Gehirns das Kästchen für Sehnsucht nach Relevanz abzuhaken, und darüber hinaus bekomme ich auch noch Liebe? Da bin ich absolut dabei!«

Hannah musste lachen.

Casey schnappte sich einen Stock und zeichnete eine Bierflasche in die Erde auf dem Boden. »Denken wir an eine Werbung, die speziell auf die Männer abzielt. Was wäre ein ständiges Thema in solchen Werbeanzeigen?«

Hannah verdrehte die Augen. »Bikinis.«

»Okay«, antwortete Casey. »Denke nun an die Formel. Was tragen die Leute noch mal im Bett – nach dem Geplänkel, nachdem sie miteinander ausgegangen sind und so weiter?«

»Nicht viel«, erwiderte Hannah.

Casey nickte. »Beinahe nackt wäre also nur einen

Schritt vom Sex entfernt, und Sex ist gleich
die Werbung also tatsächlich behauptet, ist

»Wenn du dieses Bier trinkst, werden
deinem Umfeld nur sehr leicht bekleidet
eine Vorstufe zum Sex, und dieser ist gleich Liebe. Daher
wird das Bier …«, Hannah sah Casey fragend an, »dir
Sex und Liebe bescheren?«

Casey zuckte mit den Achseln und antwortete nicht.

Hannah erinnerte sich an ihr Leben zu Hause. Sie
dachte über das Verhalten der Menschen nach, das sie
ein Wochenende nach dem anderen bei sich daheim sowie bei den Leuten in ihrem Wohnviertel und an ihrer
Schule beobachtet hatte. Schon solange sie zurückdenken konnte, hatte sie sich gefragt, was der Grund dafür
war. Warum die Menschen sich so verhielten, wie sie es
taten.

»Das alles habe ich noch nie so gesehen«, murmelte
sie schließlich.

»Deshalb ist es mit fünfzehn gerade rechtzeitig«,
meinte Casey. »Denn wenn wir nicht aufpassen, werden
wir von einem Programmcode gesteuert, der auf Relevanz aus ist, und glauben blind der kulturellen Formel,
dass Liebe gleich Sex sei und Sex gleich Liebe. Wenn wir
unter diesen Voraussetzungen also das Gefühl haben
möchten, dass wir geschätzt werden und dass unser Leben eine Bedeutung hat, und wenn wir Liebe empfinden
möchten, sitzen wir dabei der Illusion auf, dass wir lediglich *was* haben müssen?«

 **34** »Das ist so verrückt«, sagte Hannah.

Casey nickte. »Es ist spannend, welche Fragen wir uns stellen, wenn wir beginnen, diese Dinge aus einem anderen Blickwinkel zu betrachten.« Sie hielt kurz inne. »Wie zum Beispiel die Frage, ob es sein könnte, dass ein großer Teil der Werbung im Kern die tiefe menschliche Sehnsucht anspricht, geliebt zu werden?

Und wenn wir uns darüber freuen, dass jemand uns wahrnimmt — liegt das dann wirklich an unserem instinktgesteuerten Gehirn mit seinem alten Programm, warum wir uns danach sehnen, wichtig zu sein? Oder liegt es an unserer kulturellen Programmierung, die uns sagt, dass wir uns auf dem Pfad zur Liebe befinden, wenn wir wahrgenommen werden? Oder ist es vielleicht eine Kombination dieser beiden Faktoren?«

»Ich weiß es nicht«, antwortete Hannah.

»Das ist in Ordnung«, meinte Casey. »Mit der Zeit könntest du es allerdings sehr nützlich finden, einordnen zu können, warum es dir zum Beispiel ein gutes Gefühl verleiht, wenn jemand dich ›wahrnimmt‹. Und – genauso wichtig – warum es verletzend sein kann, wenn du nicht diejenige bist, die wahrgenommen wird.«

»Es ist auch ziemlich interessant, uns mal zu fragen, wie diese Dinge mit dem Gehirn der Männer verschaltet sind«, bemerkte Emma. »Als ich fünfzehn war, hat mein Vater mit mir über dieselben Ideen geredet. Und er hat mir geholfen, sie aus dieser Perspektive zu betrachten.«

»Kannst du mir ein Beispiel dafür geben?«, fragte Hannah.

»Nun ja, ich habe ihn zum Beispiel gefragt, warum Männer so auf tiefe Dekolletés stehen«, erklärte Emma schmunzelnd. »Dabei musst du wissen, dass mein Dad und ich all die Jahre ein sehr gutes Verhältnis hatten. Er war bei allen Themen immer extrem offen und ehrlich. Ob es nun darum ging, dass ich meine Periode bekam, oder ob ich mich fragte, was es mit den tiefen Ausschnitten auf sich hat, ich konnte mit ihm über alles sprechen.«

»Wie lautete seine Antwort?«, wollte Hannah wissen.

»Dass es viel mit dem zu tun hat, was Casey uns bereits erklärt hat. Auch der männliche Eisbär will aufgrund des Programmcodes seines instinktgesteuerten Gehirns wichtig sein. Er will ebenfalls der Auserwählte sein. Derjenige, für den die Eisbärin sich entscheidet. Derjenige, der bei der Paarung zum Zug kommt und Nachkommen zeugt. Denn wenn ihm das gelingt, hat *sein* Leben biologisch betrachtet einen Sinn.«

»Nachdem er dem anderen Eisbären ein Ohr abgebissen hat«, warf Hannah ein.

»Das ist eine sehr zutreffende Bemerkung«, sagte Casey. »Manches mag vielleicht sehr albern klingen, aber diese gesamte Kraftdemonstration ist ein gutes Beispiel dafür, inwiefern die Programmcodes von Eisbären und Menschen sich ähnlich sind.«

»Wie meinst du das?«, fragte Hannah.

Casey warf Emma schmunzelnd einen Blick zu. »Also, in Hawaii gibt es zum Beispiel viele hochklassige Beachvolleyball-Turniere. Die Männer, die daran teilnehmen, sind superfit und durchtrainiert. In der Regel tragen sie bei einem Match lediglich Badehosen, sodass man viel nackte Haut sieht. Und ich kann dir sagen, wenn zwei Männer am Netz um einen Punkt kämpfen und man ihre Kraft sieht und beobachtet, wie sich ihre Muskeln anspannen …«

Emma tat erneut so, als würde sie sich mit der Hand Luft zufächeln. »Viel besser, als dem anderen ins Ohr zu beißen«, verkündete sie. »Viel besser.«

Hannah kicherte.

»Auch wir Menschen reagieren – in unterschiedlichem Maße – auf Demonstrationen von Stärke, Macht, Männlichkeit und Sinnlichkeit«, erklärte Casey weiter. »Das gehört zum Programmcode des instinktgesteuerten Gehirns, der zusammen mit zahlreichen anderen Codes in uns allen verankert ist.«

Hannah nickte und sah zu Emma. »Aber was hat das mit den tiefen Dekolletés zu tun?«

»Mein Dad meinte, dass viele Faktoren hier eine Rolle spielen könnten. Aber zum Teil geht es wahrscheinlich auf die kulturelle Formel zurück. Munteres Geplänkel, eifriges Geflirte, miteinander Ausgehen, weiteres Geplänkel und Geflirte, emotionaler Verbindungsmoment, ich habe mich in dich verliebt, Küsse, viel nackte Haut, Sex.«

Hannah sah sie verwirrt an.

Achselzuckend fügte Emma hinzu: »Meinem Vater

zufolge glaubt das instinktgesteuerte Gehirn mancher Männer, sobald sie einen Ausschnitt sehen, sie könnten die Formel beschleunigen und gleich zu dem Punkt mit der vielen nackten Haut springen. Was bedeutet, dass als Nächstes *was* kommt?«

»Liebe und Sex. Außerdem ist man dem instinktgesteuerten Gehirn zufolge dann auch wichtig«, antwortete Hannah. Sie ließ ihren Blick von Emma zu Casey wandern. »Glaubt ihr, dass es so ist?«

»Ich glaube, es kommt auf den jeweiligen Mann an«, erwiderte Casey. »Manche könnten es als Abkürzung zum Sex betrachten, wobei der Liebesaspekt im zugrunde liegenden Programmcode sowohl enthalten als auch überhaupt nicht vorhanden sein könnte. Andere Männer könnten eine gänzlich unterschiedliche Sichtweise haben. Jedenfalls machen die Sehnsucht nach Liebe und der Wunsch danach, wichtig zu sein, auch bei Männern große Teile des Programmcodes aus.«

»Für mich selbst kann ich noch nicht behaupten, ich wüsste, ob es stimmt oder nicht«, überlegte Emma. »Die Gespräche mit meinem Vater haben mir allerdings definitiv geholfen, die Welt mit anderen Augen zu betrachten und mir selbst andere Fragen zu stellen.«

»Zum Beispiel?«, fragte Hannah.

»Fragen wie etwa: ›Warum empfinde ich, was ich empfinde, und was steuert meine Entscheidungen?‹ Ich gebe dir ein einfaches Beispiel: Wir alle stehen jeden Tag auf und ziehen uns an. Wir haben bestimmte Lieblingsteile sowie Kleidungsstücke, die wir nicht so gerne mögen. Und manche Dinge tragen wir so gut wie nie. Warum gehören sie diesen verschiedenen Kategorien an?

Liegt es daran, wie wir uns darin fühlen? Und falls es so ist, wodurch entsteht dieses Gefühl? Vielleicht liegt es daran, wie der Stoff sich auf der Haut anfühlt. Vielleicht ist es der Schnitt eines Kleidungsstücks, das unseren Körper auf eine bestimmte Weise bedeckt und uns dadurch ein Gefühl der Stärke verleiht. Möglicherweise erinnert es uns auch daran, wie wir als Baby gewickelt wurden.

Vielleicht hat jemand uns ein Kompliment gemacht, als wir ein bestimmtes Outfit zum ersten Mal getragen haben, sodass eine bestimmte Verbindung entstand. Falls es so war, woran lag das? Warum ist es uns wichtig, Komplimente zu bekommen?«

Emma dachte weiter angestrengt nach. »Und es geht weit über die Kleidung hinaus. Schenken andere Menschen uns mehr Aufmerksamkeit, wenn wir uns auf eine bestimmte Weise stylen und verhalten oder wenn wir auf eine bestimmte Art sprechen? Oder beachten sie uns weniger, und mögen wir genau das? Und egal wie, warum ist es uns überhaupt wichtig? Und wieso galt es zu einem bestimmten Zeitpunkt in der Geschichte der Menschheit als ›attraktiv‹, Menschen die Füße abzubinden, ihren Hals zu verlängern, ihren Körper zu piercen oder bestimmte Hautbereiche zu zeigen bzw. zu verdecken?

Und wieso wird das Denken von Menschen zuweilen vollkommen von dem Wunsch dominiert, ›attraktiv‹ zu sein oder mit jemandem zusammen zu sein, der ›attraktiv‹ ist? Und zwar in einem Maße, dass es ihre wichtigsten Beziehungen zerstört, dass sie die tollsten Jobs verlieren, sich finanziell ruinieren und quasi jeden anderen Aspekt ihres Lebens sabotieren?«

»Keine Ahnung«, murmelte Hannah.

»Ich rätsele auch noch darüber nach«, sagte Emma. »Allerdings sind meinem Vater zufolge Teile des Programmcodes wahrscheinlich die treibende Kraft bei vielen dieser Dinge. Und wenn wir wollen, können wir den Code verstehen, sodass *wir* uns nicht blind davon steuern lassen.«

»Aber wir selbst erzeugen den Code, oder etwa nicht?«, fragte Hannah.

»Einen Teil davon«, erwiderte Casey. »Aber hast du selbst den Programmcode dafür geschrieben, dass sich dein Geburtsgewicht innerhalb deines ersten Lebensjahrs verdreifacht hat? Oder dass deine Milchzähne ausgefallen sind, als du etwa sechs Jahre alt warst? Oder dass du mit etwa dreizehn deine Periode bekommen hast?«

»Nein«, antwortete Hannah.

»Dennoch entscheiden wir selbst, wie wir reagieren und mit dem Code umgehen, obwohl wir ihn nicht geschrieben haben«, sagte Casey.

»Wie meinst du das?«

Casey schmunzelte. »Ich gebe dir ein Beispiel: Obwohl der Programmcode unseres instinktgesteuerten Gehirns vor Verlangen vielleicht laut schreit, weil der Wunsch, relevant zu sein, so groß ist, bedeutet das nicht, dass wir uns automatisch von jemandem verzaubern lassen, nur weil er darauf steht, dass wir einen Busen haben. Stattdessen können wir uns dafür entscheiden, mit jemandem zusammen zu sein, der uns als Person mag. Und in diesem Fall haben wir dann eben zufällig *auch* noch einen Busen.«

**35**  Hannah schmunzelte über Caseys Bemerkung. »Das gefällt mir.«

»Mein Vater hat mir noch etwas mitgeteilt«, fügte Emma hinzu. »Ihm zufolge gehört es zum Spaß am Leben dazu, spielerisch mit dem Programmcode des instinktgesteuerten Gehirns umzugehen.«

»Inwiefern?«, fragte Hannah.

»Nun ja, stell dir vor, du lernst jemanden kennen, und irgendwie mögt ihr euch. Nehmen wir an, ihr habt die folgenden Phasen durchgemacht: munteres Geplänkel, eifriges Geflirte, miteinander Ausgehen, Geplänkel, Geplänkel und weiteres Geflirte, der kulturellen Formel entsprechend.«

Hannah kicherte. »Okay.«

»Und dann bekommt der andere eine SMS von dir, in der du schreibst, dass du eine Erkältung hast. Also fährt er quer durch die ganze Stadt, um einen speziellen Kräutertee zu besorgen, der dir immer hilft und von dem du ihm erzählt hast. Und diesen bringt er dir nach Hause.«

»Das wäre süß«, meinte Hannah.

»Hier ist ein anderes Szenario«, fuhr Casey fort. »Vielleicht hast du dem anderen in den frühen Phasen des Flirtens und des munteren Geplänkels erzählt, dass du davon träumst, Rennautos zu designen. Du hast außerdem erwähnt, dass dein absolutes Lieblingsauto, welches ist …?«

Casey wiederholte mit verschwörerischer Stimme: »Was ist dein absolutes Lieblingsauto aller Zeiten?«

Die Art und Weise, wie Casey das sagte, brachte Hannah zum Lachen. »Ein 1965er Ford Mustang Shelby 350R Cabrio«, antwortete sie.

Casey zog angesichts dieser detaillierten Antwort etwas verwundert die Augenbrauen hoch. »Welche Farbe?«, hakte sie mit derselben verschwörerischen Stimme nach.

Hannah lachte erneut. »Weiß mit roten Rennstreifen.«

Casey fuhr mit ihrer normalen Stimme fort: »Also sammelt er schon Wochen vor deinem Geburtstag jeden Oldtimerkalender, in dem ein 1965er Ford Mustang Shelby 350R Cabrio abgebildet ist. Außerdem tut er sich mit deiner Freundin zusammen, die die Zahlenkombination deines Schließfachs in der Schule kennt, um es mit all diesen coolen Bildern zu dekorieren. Damit es, wenn du es an deinem Geburtstag öffnest, lauter Dinge enthält, die etwas mit deinem Lieblingsauto zu tun haben. Außerdem stellt er ein Modellauto davon hinein, und zwar in deinen Lieblingsfarben, weiß mit roten Rennstreifen.«

Casey machte eine Pause. »Und all das tut er aufgrund einer einzigen Bemerkung, die du bei einem eurer ersten Gespräche fallen gelassen hast.«

»Das wäre wirklich total süß!«, rief Hannah aus.

Emma nickte. »Und dennoch sind solche Verhaltensweisen –meinem Vater zufolge – nicht sehr viel *rationaler*, als tage- und wochenlang durch die gefrorene Tundra zu laufen, um den Kampf der Kämpfe auszufechten, damit man sich eine Partnerin sichert, mit der es dann eine Woche lang zur Sache geht, nur um sie danach nie mehr wiederzusehen.«

»Ich glaube, ich verstehe«, bemerkte Hannah.

»Das hat er gemeint, als er sagte, wir könnten spielerisch mit dem Code umgehen«, fügte Emma hinzu. »Wir können ihn zur Kenntnis nehmen und diejenigen Aspekte davon genießen und ausleben, die zu der Person passen, die wir gerne sein möchten, sowie zu dem Leben, das wir führen wollen.« Sie schüttelte den Kopf. »Ohne unser Verhalten vollkommen unbewusst davon bestimmen zu lassen.«

Hannah überlegte kurz, dann sagte sie: »Ich habe selbst die Wahl. Darüber hat Max mit mir gesprochen, als er mich gestern Abend nach Hause gefahren hat.«

Casey nickte. »Du hast immer eine Wahl.«

 **36** Hannah saß auf einem der runden Barhocker an der Cafétheke. Sie war ein paar Minuten zuvor gemeinsam mit Casey und Emma von ihrer Fahrradtour zurückgekommen. Es hatte ihr großen Spaß gemacht. Sie war begeistert von den Gesprächen mit den beiden Frauen.

Nun drehte sie sich mit dem Barhocker langsam herum und ließ ihren Blick durch das Café schweifen. Sie erinnerte sich daran, wie sehr sie am Abend zuvor mit sich selbst gerungen hatte, bevor sie schließlich hineingegangen war. Das schien sehr lange her zu sein.

Was hatte sie dazu bewogen, ihre Meinung zu ändern? Es war lediglich ein Gefühl gewesen. Eine Ahnung, dass sie aus einem bestimmten Grund hineingehen sollte.

»Diese leise innere Stimme gehört zu den wichtigsten Dingen, die wir alle besitzen«, sagte jemand.

Überrascht fuhr Hannah etwas zusammen. Sie war ganz in ihre Gedanken versunken gewesen und hatte niemanden kommen hören. Sie drehte sich mit dem Barhocker wieder zurück zur Theke. Dort legte Mike gerade eine Speisekarte vor sie hin.

»Emma und Casey sind hinten, um ein bisschen

aufzuräumen«, sagte er lächelnd. »Danke noch mal, dass du sie auf die Fahrradtour mitgenommen hast. Sie waren wirklich begeistert.«

»Es hat mir großen Spaß gemacht, Zeit mit ihnen zu verbringen«, antwortete Hannah.

Mike deutete mit dem Kopf auf die Speisekarte. »Kann ich dir noch etwas bringen?«

Hannah verspürte erneut Hunger, aber sie hatte nach wie vor lediglich drei Dollar in ihrer Jackentasche. Damit würde sie wohl nicht weit kommen.

»Du hast noch etwas Geld von gestern Abend übrig«, kam ihr Mike zuvor, als hätte er wieder ihre Gedanken gelesen. »Erinnere mich bitte daran, denn bevor du fährst, möchte ich sichergehen, dass ich dir zurückgebe, was du davon nicht verbraucht hast.«

*Bevor du fährst.*

Angesichts dieser Worte wurde Hannah das Herz schwer. Sie zögerte einen Moment und antwortete Mike dann mit einem Nicken.

Als sie den Blick abwenden wollte, wurde er von der Speisekarte angezogen, die Mike auf die Theke gelegt hatte. Die Rückseite zeigte nach oben, und sie las die drei Fragen. Ihre drei Fragen.

*Wer bist du?*
*Was wird dich ausmachen?*
*Warum bist du hier?*

»Wir haben etwas Erdbeer-Rhabarber-Kuchen, falls du Lust darauf hast«, bot Mike an.

Hannah erinnerte sich daran, wie gut der Kuchen

geduftet hatte, als sie am vorigen Abend zum ersten Mal mit John ins Café gekommen war. »Sehr gerne«, antwortete sie daher.

»Kommt sofort.«

Als Mike sich abwandte, um wieder in die Küche zu gehen, wurde Hannahs Blick erneut von der Speisekarte angezogen. In den letzten zwei Tagen hatte sie eine Menge über die ersten beiden Fragen gelernt. Nun betrachtete sie die dritte.

*Warum bist du hier?*

Sie drehte sich mit dem Barhocker im Kreis und ließ ihre Gedanken schweifen. Plötzlich fiel ihr ein, wie sie den Ringschlüssel benutzt und Max bei der Reparatur ihres Fahrrads geholfen hatte. Dann sprangen ihre Gedanken zu dem Moment, als sie sich mit Emma in der Sitznische des Cafés darüber unterhalten hatte, was sie selbst als fantastisch erachten würde. Und daraufhin kam ihr das Bild eines Schließfachs in der Schule in den Sinn, in dem lauter Ansichten eines 1965er Ford Mustang Shelby 350R Cabrios zu sehen waren.

»Ich habe ihn etwas für dich aufgewärmt. Ich hoffe, das ist in Ordnung«, unterbrach Mike ihre Gedanken. Hannah drehte sich mit ihrem Barhocker wieder um, während Mike einen Teller mit einem großen Stück Kuchen abstellte und eine Gabel sowie eine Serviette danebenlegte. »Emma isst ihn am liebsten warm. Ich kann dir aber auch ein anderes Stück bringen, wenn du ihn lieber kalt möchtest.«

Hannah schüttelte den Kopf. »So ist es perfekt.«

Mike betrachtete die Speisekarte.

»Darf ich dich fragen, wie alt du bist, Hannah?«

»Ich bin fünfzehn. In ein paar Monaten werde ich sechzehn.«

Mike nickte. »Wie fühlt sich das an?«

Hannah wusste nicht so recht, was sie darauf antworten sollte.

»Es ist eine interessante Zeit«, sagte Mike. »Ich glaube, die meisten jungen Leute in deinem Alter haben meist die Erfahrung gemacht, dass bislang andere Leute ihnen gesagt haben, was sie und wann sie etwas tun sollten. Und plötzlich beginnen die Menschen sie zu fragen, was sie studieren wollen und welche Pläne sie für den Rest ihres Lebens haben.«

Hannah nickte. »Das habe ich Casey gestern auch erzählt. In dem einen Moment wird von uns erwartet, dass wir nicht unabhängig sind und einfach tun, was uns gesagt wird. Und im nächsten Moment sollen wir vollkommen selbstständig sein und uns über alles im Klaren sein.«

Sie machte eine Pause. »Ist es Emma ebenfalls so ergangen?«

Mike zuckte mit den Achseln. »Das müsstest du sie fragen. Wir haben kein gewöhnliches Leben geführt, daher könnte ihre Erfahrung etwas anders gewesen sein. Aber sie hat definitiv eine Zeit des Umbruchs erlebt, als sie in deinem Alter war.«

Hannah aß ein Stück von dem Kuchen. »Schmeckt sehr lecker«, sagte sie schließlich.

»Freut mich, dass du ihn magst«, erwiderte Mike strahlend. Nach einer kurzen Pause fuhr er fort: »Eins meiner Lieblingsgespräche mit Emma drehte sich übrigens um das Thema, was sie mit ihrem Leben anfangen könnte.«

»Tatsächlich?«

Mike nickte. »Wir waren gerade auf einer Abenteuerreise unterwegs. Emma hatte sich gewünscht, die Wellen an der Westküste von Mittelamerika zu surfen, daher zogen wir mit dem Rucksack von einem kleinen Surfort zum nächsten.

Abends gibt es in den meisten Ortschaften einen Markt im Freien. Die Leute verkaufen ihre Waren an vielen kleinen Ständen. Händlerinnen bieten frische Kokosnüsse oder heiße dampfende Pupusas aus Maismehl an. Andere verkaufen selbst gefertigten Schmuck, Kleidung oder Kinderspielzeug … In diesem Teil der Welt tragen solche Märkte einen großen Teil zum Lebensunterhalt der Menschen bei.«

»Was ist eine Pupusa?«, fragte Hannah.

Mike schmunzelte. »Das ist eine dicke Tortilla aus Maismehl, die mit Käse gefüllt ist. Sehr lecker und meistens auch recht günstig. Bei den Surfern dort sind Pupusas als Snack sehr beliebt.«

Hannah war fasziniert von diesem Lebensstil, über den sie nichts wusste.

»Als Emma und ich eines Abends über den Markt schlenderten, entwickelte sich zwischen uns ein großartiges Gespräch über das Leben«, fuhr Mike fort. »Uns wurde plötzlich bewusst, dass all diese Straßenverkäufer in einem bestimmten Moment beschlossen haben mussten: ›Ich werde Pupusaverkäufer.‹ Oder: ›Ich werde eine Verkäuferin von frischen Kokosnüssen.‹ Aber dann fragten wir uns, ob es sich *tatsächlich* um eine bewusste Entscheidung handelte.«

»Vielleicht haben sie es gemacht, weil ihre Eltern es ihnen vorgelebt hatten«, überlegte Hannah.

»Darüber haben wir auch nachgedacht. Vielleicht waren ihre Eltern auch einer anderen Tätigkeit nachgegangen, hatten ihnen aber zu dieser neuen Beschäftigung geraten, weil sie der Meinung waren, dass es eine bessere Wahl wäre.« Mike machte eine Pause. »Interessanterweise stellten wir fest, dass nicht alle Verkäufer den gleichen Erfolg hatten. An manchen Ständen war jeden Abend sehr viel los. Andere dagegen hatten nur wenige Kunden. Wir haben uns daher gefragt, ob jemand wie der Mann mit den Ledergürteln, der nicht viel verkaufte, je darüber nachgedacht hatte, ein Pupusaverkäufer zu werden.«

»Es sei denn, ihm gefielen Ledergürtel einfach«, bemerkte Hannah.

»Das ist sehr gut möglich«, antwortete Mike. Er hielt kurz inne und fuhr dann fort: »Vielleicht hat er auch nicht gewusst, wie man Pupusas zubereitet, und es war ihm unangenehm, jemanden um Hilfe zu bitten. Oder er wusste vielleicht nicht, wo er anfangen sollte, um den Traum, ein Essensverkäufer zu werden, zu verwirklichen. Oder vielleicht hatte er Angst oder kein Geld, um einen Pupusagrill zu kaufen.«

»Vielleicht hat er einfach nie darüber nachgedacht«, überlegte Hannah. »Mit Ledergürteln kannte er sich aus. So hat er sich selbst gesehen, also hat er sich damit beschäftigt.«

Mike zuckte mit den Achseln. »Wenn man hundert

verschiedene Verkäufer fragen würde, bekäme man wahrscheinlich hundert verschiedene Varianten dieser und anderer Möglichkeiten als Antwort. Und das wäre der Fall, egal ob man Verkäufer in Mittelamerika oder Menschen irgendwo sonst befragen würde.«

Hannah dachte an die kleine Stadt, in der sie wohnte. An die Eisdiele, den Friseursalon, den Baumarkt, das Kino … Es war interessant. Warum gingen die Menschen ihrer jeweiligen Beschäftigung nach?

»Ich habe Emma an jenem Abend gesagt, dass jeder letztlich irgendetwas macht«, fuhr Mike fort. »Jeder hat am Ende eine Geschichte – seine persönliche Geschichte. Und als ich mein eigenes Leben betrachtete und überlegte, welche verschiedenen Dinge ich gemacht hatte, erkannte ich, dass sie sich grundsätzlich drei Kategorien zuordnen ließen.«

»Welchen denn?«, fragte Hannah.

 **37**   »Inspiration, Verzweiflung und Planlosigkeit«, antwortete Mike schmunzelnd.

»Ich mag den Klang der ersten Kategorie«, stellte Hannah fest.

»Deshalb hat mir das Gespräch mit Emma, als sie etwa in deinem Alter war, so gut gefallen. Denn die Inspiration führt uns auf den Pfad, der uns begeistert. Wir interessieren uns für das Thema und wollen wirklich gerne etwas darüber lernen und es machen, was immer es auch sein mag. Das heißt nicht, dass jede einzelne Sekunde jedes Tages absolute Glückseligkeit bedeutet, aber im Großen und Ganzen befinden wir uns auf einem Weg, auf dem wir es gar nicht erwarten können, jeden Morgen aufzustehen und unser Leben zu gestalten.«

»Und wie ist es bei der Verzweiflung?«, fragte Hannah.

»Hier ist es so, wie du es wahrscheinlich erwarten würdest. Wir nehmen alles, was wir kriegen können, weil wir verzweifelt sind.« Mike machte eine Pause. »Manchmal möchten wir unserer aktuellen Situation entkommen und haben nicht viele Optionen. Daher beginnt unsere Geschichte zuweilen genau an diesem Punkt, ohne dass wir selbst irgendetwas dafür können. Und es gibt keinen Grund, sich dafür zu schämen. Aber das bedeutet nicht, dass wir dort festhängen müssen.«

»Und wie sieht es bei der Planlosigkeit aus?«

Mike zuckte mit den Achseln. »Hier gibt es zwei Varianten. Bei der ersten sind wir zwar inspiriert und haben ein generelles Ziel, lassen die Details des Plans jedoch offen.«

Hannah sah Mike verwirrt an.

»Kehren wir noch einmal zu dem Beispiel aus Mittelamerika zurück«, fuhr er fort. »Die Reise war inspiriert durch Emmas und meine Begeisterung für das Surfen und für Abenteuerreisen. Wir hatten ein generelles Ziel, das darin bestand, die Westküste Mittelamerikas von oben nach unten abzusurfen. Aber zum größten Teil ließen wir die genauen Details offen. Wir waren nicht für eine bestimmte Zeit auf einen bestimmten Ort festgelegt. Außerdem planten wir nicht bereits im Vorhinein all unsere Aktivitäten für die gesamte Reise.

Stattdessen ließen wir uns etwas treiben. Wir reisten weiter, wenn wir uns dazu inspiriert fühlten weiterzuziehen, und ließen uns häufig von Dingen leiten, die wir nie hätten planen können.«

Hannah nickte. »Und bei der zweiten Variante, keinen Plan zu haben?«

»Bei dieser Variante machen wir uns keine genauen Gedanken darüber, warum wir tun, was wir tun. Selbst wenn es sich um etwas handelt, das wir tun *wollen*.«

Mike zuckte mit den Achseln. »Also lassen wir uns vollkommen treiben und akzeptieren, was immer das Leben auch bringen mag. Was nicht schlecht sein muss. Allerdings führt das in der Regel nicht zu etwas Fantastischem.« Er schüttelte den Kopf. »Typischerweise beobachten wir in diesem Fall, wie die Wochen, Monate und Jahre verstreichen, und haben an irgendeinem Punkt das Gefühl, dass das Leben an uns vorüberzieht.«

Er machte eine kurze Pause. »In deinem Alter beginnt man, sich aktiver dafür zu entscheiden, welche von all diesen Optionen man bevorzugt. Ich kann dir aufgrund meiner eigenen Erfahrung sagen, dass die Verzweiflung eine große Motivatorin sein kann. Aber darin festzuhängen bedeutet, dass wir nie wirklich im Einklang damit sein werden, wer wir sind und wozu wir tatsächlich in der Lage sind.

Keinen Plan zu haben kann ein unglaublicher Weg sein, um mit dem Universum zu spielen und das Glück des Unerwarteten auszukosten. Es kann allerdings auch zu Verzweiflung und Leid führen, wenn wir nie herausfinden, was unserem Leben einen Sinn gibt, und wir uns daher nie darauf ausrichten.«

»Die Kategorie der Inspiration klingt immer besser«, bemerkte Hannah.

Mike schmunzelte. »Wenn du beschließt, irgendwo zu beginnen, ist das ein ziemlich guter Anfang.«

**38**  »Na, wie ist der Kuchen, Hannah?«

Emma war durch die Küchentür herausgekommen und stand nun neben Mike. Er stupste sie sanft mit seiner Schulter an, und mit einem Lächeln stupste sie ihn zurück.

»Er schmeckt wirklich gut.«

»Und wie läuft eure Unterhaltung?«, fragte Emma und stupste Mike erneut an.

»Die läuft auch gut«, antwortete Hannah strahlend.

Emma warf Mike einen Blick zu und wandte sich dann wieder Hannah zu. »Tja, vielleicht ist es nicht so lustig, mit ihm abzuhängen, wie mit Casey und mir, aber er hat einige interessante Gedanken auf Lager, so viel ist sicher.«

Mike gab ihr einen Kuss auf den Kopf und schmunzelte. »Es ist schön, so wertgeschätzt zu werden. Gewissermaßen.«

An Hannah gewandt fügte er hinzu: »Jedenfalls freut es mich, dass dir der Kuchen schmeckt, und ich habe unser Gespräch wirklich genossen. Vielen Dank dafür. Ich muss noch ein paar Dinge in der Küche aufräumen, daher werde ich mich nun mal darum kümmern. Brauchst du noch irgendetwas?«

Hannah schüttelte den Kopf.

»Wenn dir etwas einfallen sollte, wende dich einfach an diese junge Dame hier«, sagte er lächelnd und stupste Emma noch einmal an.

Hannah erwiderte sein Lächeln und nickte.

Als Mike in die Küche gegangen war, wandte Hannah sich Emma zu. »Ich habe nicht so einen Vater. Und um ehrlich zu sein, kann ich von meiner Mutter auch nicht viel erwarten.«

»Aber du *hast* eine Mutter«, murmelte Emma.

Die Antwort überraschte Hannah. Sie war früher an diesem Tag bereits nah dran gewesen, Emma nach ihrer Mutter zu fragen, hatte es aber aus irgendeinem Grund nicht getan. Nun spürte sie, dass es wohl ein trauriges Thema war.

»Jedes Leben bringt Herausforderungen mit sich«, dachte sie bei sich.

Die beiden jungen Frauen schwiegen eine Weile. Dann aß Hannah das letzte Stück Kuchen und legte die Gabel auf den Teller. Dabei wurde ihr Blick abermals von der Speisekarte und den drei Fragen angezogen.

*Wer bist du?*
*Was wird dich ausmachen?*
*Warum bist du hier?*

Die Fragen hatten mittlerweile eine viel größere Bedeutung bekommen. Hannah dachte an die Gespräche vom Vorabend, die sie mit Casey und Emma geführt hatte. Und an ihre Unterhaltung mit Max, während sie ihr Fahrrad repariert hatten und als er sie nach Hause gefahren hatte. Sie erinnerte sich daran, was der Tag für sie bereitgehalten hatte, als sie mit Casey und Emma unterwegs gewesen war – an das gemeinsame Lachen und ihre Diskussionen. Auch das letzte Gespräch, das sie eben erst mit Mike geführt hatte, kam ihr in den Sinn.

»Sieht so aus, als hättest du so ziemlich alles aufgegessen.«

Hannah sah auf und erblickte Casey. Sie trug wieder ihr Kellnerinnen-Outfit, und aus irgendeinem Grund stimmte Hannah das traurig. Als würde etwas zu Ende gehen.

»Ja. Es war wirklich lecker«, antwortete Hannah und blickte auf ihren leeren Teller.

Die drei Frauen schwiegen eine Weile. Dann sah Hannah Emma und Casey an. »Der Mann namens John, der mich gestern hierhergebracht hat … Er hat mir erzählt, dass das Café auf Hawaii war, als er das letzte Mal da war. Und dass es sich davor ebenfalls an einem anderen Ort befunden hat.«

Casey nickte, sagte aber nichts.

Hannah zögerte und bemerkte, dass sich ihre Augen unerwartet mit Tränen füllten. »Werde ich eines Tages hierher zurückkehren?«, fragte sie leise.

Emma warf Casey einen kurzen Blick zu, aber keine der beiden Frauen gab Hannah eine Antwort.

Ihre Gedanken wanderten zu der bevorstehenden Fahrt mit dem Fahrrad nach Hause und zu der Situation, die sie dort vorfinden würde. Ihr wurde bewusst, wie anders sie sich im Café fühlte. Wie anders sie über sich selbst dachte und darüber, wie ihr Leben aussehen könnte. Sie betrachtete erneut die letzte Frage auf der Speisekarte.

*Warum bist du hier?*

»Diese Frage stand auch auf Johns Speisekarte«, bemerkte Hannah und deutete darauf.

»Es war seine erste Frage«, antwortete Casey mit sanfter Stimme.

»Er hat mir erzählt, dass er mit achtundzwanzig auf diesen Ort gestoßen ist und dass der Aufenthalt hier sein Leben auf vielfältigere Weise verändert hat, als er mir sagen könne«, fuhr Hannah fort. »Und dass er deshalb ein großartiges Leben führe.«

Sie hielt kurz inne. »Er meinte, wenn ich seine Tochter wäre, würde er mich darauf hinweisen, was für eine einmalige Chance es sei, etwas Zeit hier zu verbringen. Selbst wenn es nur für ein paar Stunden wäre, würde ich in einigen Jahren zurückblicken und erkennen, dass es eine der besten Entscheidungen meines Lebens gewesen sei.«

»Es war nett von ihm, das zu sagen«, bemerkte Casey.

Hannah wandte ihren Blick ab. Tränen liefen ihr nun an den Wangen hinunter, die sie mit der Hand fortwischte.

»Er hatte recht.«

Hannah schaute erneut auf die Speisekarte.

»Ich weiß, dass es bei der letzten Frage nicht darum geht, warum ich im Café bin«, sagte sie. »Es geht darum, warum ich überhaupt existiere. Was der Sinn meines Lebens ist.«

Casey nickte bedächtig. »Das stimmt.«

»Darauf habe ich noch keine Antwort«, fuhr Hannah

fort. Sie ließ ihren Blick von Casey zu Emma wandern. »Aber ich weiß, dass ich es herausfinden werde.«

Lächelnd nahm Casey Hannah bei den Händen. »Ich weiß es auch.«

 **39** Zwei Wochen waren vergangen, seitdem Hannah auf ihr Fahrrad gestiegen und von dem Café weggefahren war. In der ersten Woche dachte sie jeden Tag daran, dorthin zurückzukehren. Aber etwas in ihr wusste, dass es nicht mehr da sein würde, und sie hatte das Gefühl, es nicht ertragen zu können, wenn sie sehen würde, dass es verschwunden war.

An diesem Tag hatte sie es jedoch nicht mehr ausgehalten und war dorthin gefahren. Dort, wo das Café gestanden hatte, war nichts außer einem leeren Grundstück, auf dem sich seitlich eine Betonplatte befand. Es setzte ihr sehr zu, und sie merkte, dass sie wütend wurde. Sie hatte diese Leute nur zweimal getroffen. Warum machte es ihr so viel aus, dass sie fort waren? Warum tat es ihr so weh?

Als sie auf dem Nachhauseweg durch ihren Heimatort radelte, bog sie um eine Ecke und musste plötzlich stark bremsen. Ein alter Lieferwagen parkte auf der rechten Seite der engen Straße, und die geöffnete Fahrertür blockierte ihr den Weg.

Sie wartete genervt, während ein alter Mann langsam ausstieg.

»Max?«, fragte sie verdutzt, als sie merkte, wer es war.

Er wandte sich um. Es dauerte einen Moment, bis er sie erkannte, aber dann strahlte er sie an. »Hallo, Hannah.« Er schloss die Tür des Lieferwagens und deutete auf den Bürgersteig. »Lass uns von der Straße runtergehen, bevor dich noch jemand überfährt.«

Hannah sprang von ihrem Fahrrad hinunter und ging zum Bürgersteig. Max folgte ihr.

»Was machen Sie denn hier?«, fragte Hannah.

»Ich besorge ein paar Teile. Das Geschäft, in das ich normalerweise gehe, ist zwar weniger weit von meinem Zuhause entfernt, aber dort hatten sie nicht das, was ich dieses Mal gebraucht habe.«

Hannah nickte. »Emma hat erwähnt, dass Sie relativ weit weg wohnen. Irgendwo auf dem Land.«

Max deutete auf ihr Fahrrad. »Nun ja, relativ weit weg, wenn *ich* in die Pedale treten würde. Aber für jemanden wie dich wären es wahrscheinlich nur etwa vierzig Minuten.«

»Wohnen Sie etwa auf einer Farm?«, fragte Hannah weiter.

»Früher war es eine Farm. Es gibt tatsächlich eine große Scheune dort, die ich als Werkstatt benutze. Darin ist viel Platz für all meine Werkzeuge. Dahinter liegt ein kleines Waldgebiet. Daher ist es schön ruhig.« Er zuckte mit den Achseln. »Niemand beschwert sich darüber, dass ich an ein paar Projekten arbeite.«

Hannah nickte erneut.

»Du kannst gerne mal rauskommen, wenn du möchtest«, bot Max an. »Als wir an deinem Fahrrad gearbeitet haben, war ziemlich offensichtlich, dass du dich gut mit einem Werkzeugkasten auskennst.«

Sie lächelte verhalten, statt zu antworten. Seine Bemerkung erinnerte sie an das Café, und das machte sie traurig. Max konnte es in ihrem Gesicht ablesen.

»Vor Kurzem habe ich einen Tipp für ein Projekt bekommen, dem ich mich schon seit langer Zeit gerne widmen würde«, fuhr Max fort und versuchte, mit diesem Thema vom Café abzulenken. »Ich muss nur noch abwarten, ob es klappt.«

Kaum waren ihm diese Worte über die Lippen gegangen, da gab sein Handy einen summenden Ton von sich. Er griff in seine Jackentasche und zog es hinaus. Doch obwohl er die Augen zusammenkniff und das Handy weit von sich entfernt hielt, konnte er die Nachricht nicht lesen.

»Ich habe meine Lesebrille vergessen«, sagte er zu Hannah. »Es nervt mich, wenn mir das passiert. Könntest du mir vielleicht vorlesen, was dort steht?«

Sie nickte und nahm sein Handy in die Hand.

»Dort steht: ›Kauf abgeschlossen‹, sagte sie halbherzig und gab ihm das Handy zurück.

»Nun, das sind gute Nachrichten. Es bedeutet, dass ich ihn bekommen habe«, verkündete er strahlend.

Sein Handy summte abermals. Er versuchte, die neue Nachricht zu lesen, aber es gelang ihm nicht.

Hannah streckte ihre Hand aus, und nach einem kurzen Augenblick gab Max ihr zögernd erneut das Handy.

»Er ist ziemlich ramponiert, und man muss eine Menge Arbeit reinstecken, aber er gehört Ihnen«, las Hannah laut vor. »Werde ihn morgen gegen drei Uhr liefern. Schicke jetzt Fotos.«

Während sie vorlas, summte das Handy noch zweimal.

»Das müssen die Fotos sein«, vermutete Hannah.

Sie klickte auf das erste Bild, um es zu vergrößern. Kurz darauf begannen ihre Hände zu zittern. »Das ist ein 1965er Ford Mustang Shelby 350R Cabrio«, stammelte sie leise.

Max sah sie an. »Das hoffe ich. Darauf habe ich geboten.«

Einen Moment lang schwieg sie, unsicher, wie sie reagieren sollte.

»Sie haben gesagt, dass Sie einen Hinweis darauf bekommen haben?«, fragte sie schließlich.

Max nickte. »Das stimmt. Eigentlich war es ziemlich seltsam. An dem Abend, als ich dich abgesetzt habe, konnte ich nicht richtig schlafen. Etwa um drei Uhr morgens hat mir schließlich irgendetwas gesagt, dass ich online gehen und meine E-Mails abrufen sollte. Und tatsächlich hatte ich eine Nachricht von jemandem bekommen, der mich fragte, ob ich an diesem Auto interessiert wäre.«

»Von wem war die Nachricht?«

»Von irgendeinem Typen. Er schrieb, er habe gehört, dass ich an solchen Projekten arbeite, und fragte, ob ich Interesse daran hätte.«

Max zuckte mit den Schultern. »Ich bin schon seit Langem von dem 1965er-Modell dieses Autos begeistert, konnte aber nie eins in meiner Preisklasse finden. Dieses jedoch war gerade noch innerhalb des Limits.«

Er blickte auf das Handy in Hannahs Hand. »Ich weiß nicht, ob man es anhand der Fotos erkennen kann, aber es wird eine Menge Arbeit erforderlich sein.«

Er zuckte erneut mit den Achseln. »Und es muss neu lackiert werden. Es ist blau, aber ich habe immer gedacht, dass es am besten zu diesem Auto passen würde, wenn es weiß wäre, mit …«

»… roten Rennstreifen«, vervollständigte Hannah den Satz langsam.

Max sah sie überrascht an. »Genau.«

In Gedanken war Hannah plötzlich wieder im Café. Sie dachte an Casey und Emma und an ihre Gespräche darüber, was fantastisch wäre, über Lieblingsautos und geschmückte Schließfächer. »Wie kann das sein?«, dachte sie. »Wie ist das nur möglich?« Max hatte die E-Mail nach ihrem ersten Abend im Café erhalten. Zu diesem Zeitpunkt hatten sie noch nicht einmal über Ford Mustangs mit roten Rennstreifen gesprochen.

Sie gab Max das Handy zurück. Mit zusammengekniffenen Augen betrachtete er das Foto. »Es wird eine Menge Arbeit sein, diesen Wagen wieder herzurichten. Aber er wird eine Perle sein, wenn es geschafft ist.« Er machte eine Pause. »Es ist einfach sehr befriedigend, sich einer Sache zu widmen, die etwas ramponiert ist, und sie wieder auf Vordermann zu bringen.«

Er hielt noch einmal kurz inne, dann sah er Hannah geradewegs an. »Ich könnte etwas Hilfe gebrauchen, wenn du Interesse hättest.«

Hannah zögerte. Dann erinnerte sie sich an ihr Zuhause und daran, wie sehr sie sich nach einem anderen Ort sehnte, an dem sie Zeit verbringen konnte.

Dann fiel ihr etwas ein, das Mike ihr im Café gesagt hatte.

*Inspiration, Verzweiflung oder Planlosigkeit.*

Und schließlich erinnerte sie sich an die Rückseite der Speisekarte des Cafés.

*Wer bist du?*
*Was wird dich ausmachen?*
*Warum bist du hier?*

Und dann begann sie zu strahlen, stärker, als sie es seit Langem getan hatte. Ihr Strahlen breitete sich über ihr ganzes Gesicht aus. »Ich bin dabei«, antwortete sie. »Ich bin absolut dabei.«

**Über den Autor**  Nach einem lebensverändernden Erlebnis im Alter von 33 Jahren war John inspiriert, die Geschichte des Cafés am Rande der Welt niederzuschreiben. Innerhalb eines Jahres nach der Veröffentlichung hatte das Buch sich durch die Mundpropaganda der Leser auf dem gesamten Globus verbreitet und begeisterte Menschen auf jedem Kontinent, einschließlich Antarktika. Es wurde sieben Mal Bestseller des Jahres und überdies in 43 Sprachen übersetzt.

All dies verblüfft ihn nach wie vor, und er ist zutiefst dankbar dafür.

Johns Bücher verkauften sich bislang über sechs Millionen Mal. Zu seinen Veröffentlichungen gehören: *Das Café am Rande der Welt; Wiedersehen im Café am Rande der Welt; Auszeit im Café am Rande der Welt; Safari des Lebens; The Big Five for Life; Das Leben gestalten mit den Big Five for Life; Wenn du Orangen willst, such nicht im Blaubeerfeld; Was nützt der schönste Ausblick, wenn du nicht aus dem Fenster schaust; Folge dem Rat deines Herzens und du wirst bei dir selbst ankommen.*

Wenn er nicht gerade schreibt, bereist er mit seiner Familie häufig die Welt. Das längste Abenteuer war ein einjähriger Rucksackurlaub mit seiner Familie.

Wenn Sie John kontaktieren oder mehr über den Autor erfahren möchten, können Sie die folgende Internetseite besuchen:
www.johnstrelecky.de

Folgen Sie John Strelecky auf Social Media, wo er inspirierende Gedanken und Ideen postet:

@JohnStrelecky

**BIG FIVE**™
**FOR LIFE**

Möchten auch Sie den Sinn in Ihrem Leben
entdecken? Das Team von John Strelecky begleitet
Sie gerne dabei.

www.bigfiveforlife-seminar.com

John Strelecky hat diese Organisation gegründet,
nachdem ihn viele Leserbriefe mit der Bitte um
Hilfe erreicht hatten.

Tausende Teilnehmer haben die Seminare
über die Jahre besucht. Auf der Website finden
Sie Erfahrungsberichte und weitere Informationen.

Den Inhalt der Kurse hat John entwickelt.
Er entspricht dem Geist von allem,
was John in seinen Büchern teilt.

# Willkommen im Café am Rande der Welt!

ALLE LIEFERBAREN TITEL, INFORMATIONEN UND SPECIALS FINDEN SIE ONLINE

www.dtv.de **dtv**

# Lebensweisheiten, die inspirieren

# Inspiration für Sinnsucher

# Erfüllung im Beruf
# und darüber hinaus

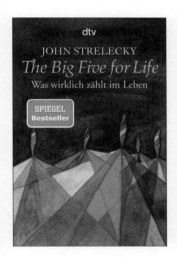

www.dtv.de